Instituto Antônio Houaiss

Coordenação e assistência de José Carlos de Azeredo

Escrevendo pela nova ortografia

COMO USAR AS REGRAS DO NOVO ACORDO ORTOGRÁFICO DA LÍNGUA PORTUGUESA

HOUAISS PUBLIFOLHA

Instituto Antônio Houaiss de Lexicografia

Antônio Houaiss
Mauro de Salles Villar
Francisco Manoel de Mello Franco

Instituto Antônio Houaiss

Coordenação e assistência de José Carlos de Azeredo

Escrevendo pela nova ortografia

COMO USAR AS REGRAS DO NOVO ACORDO ORTOGRÁFICO DA LÍNGUA PORTUGUESA

Rio de Janeiro | 2008 | 2ª edição

PUBLIFOLHA

Editor-assistente
Rodrigo Villela

Assistência editorial
Adriane Piscitelli e Thiago Blumenthal

Coordenação de produção gráfica
Soraia Pauli Scarpa

Produção gráfica
Mariana Metidieri

Capa e projeto gráfico
Rita da Costa Aguiar

Editoração eletrônica
Rita da Costa Aguiar

Revisão
Isabel Newlands (Instituto Antônio Houaiss)
Luicy Caetano de Oliveira

Dados Internacionais de Catalogação na Publicação (CIP)
(Câmara Brasileira do Livro, SP, Brasil)

Escrevendo pela nova ortografia: como usar as regras do novo acordo ortográfico da língua portuguesa / Instituto Antônio Houaiss / coordenação e assistência de José Carlos Azeredo. – 2. ed. – São Paulo : Publifolha, 2008.

Bibliografia.
ISBN 978-85-7402-938-2

1. Português - Ortografia I. Instituto Antônio Houaiss. II Azeredo, José Carlos de.

08-08001 CDD-469.152

Índice para catálogo sistemático:
1. Ortografia : Português : Linguística 469.152

Direitos desta edição reservados à:
Publifolha – Divisão de Publicações
da Empresa Folha da Manhã S.A.
Al. Barão de Limeira, 401, 6º andar,
Campos Elíseos, CEP 01202-900, São Paulo, SP
Tel.: (11) 3224-2186/2187/2197
Fax: (11) 3224-2163

Sob licença de:
Paracatu Editora
R. Voluntários da Pátria, 89, sala 702,
Botafogo, CEP 22270-000,
Rio de Janeiro, RJ
Tel.: (21) 2246-3688
Fax: (21) 2535-3457

Sumário

Apresentação

Antônio Houaiss foi filólogo, enciclopedista, tradutor, crítico e diplomata. Estudioso de nossa língua, tornou-se porta-voz da delegação brasileira no Encontro para a Unificação Ortográfica da Língua Portuguesa, realizado no Rio de Janeiro em 1986, nele defendendo a tese de que a carência de uma ortografia oficial comum à comunidade lusófona trazia-nos não apenas dificuldades de natureza linguística, mas também política. Nosso idioma era o único no Ocidente a ter duas grafias oficiais – uma europeia e outra brasileira. As resoluções desse encontro serviram de base para o projeto de texto da ortografia unificada, documento que teve aprovação da Academia de Ciências de Lisboa e da Academia Brasileira de Letras.

Houaiss foi ministro da Cultura do Brasil (1992-1993), membro do Conselho Nacional de Política Cultural do Ministério da Cultura (1994-1995) e presidente da Academia Brasileira de Letras (1995). Tornou-se o principal negociador do novo Acordo Ortográfico, assinado em 16 de dezembro de 1990 por representantes de Angola, Brasil, Cabo Verde, Guiné-Bissau, Moçambique, Portugal e São Tomé e Príncipe. Mais tarde, Timor-Leste alinhou com as resoluções do Acordo, o qual, agora ratificado por vários membros da Comunidade de Países de Língua Portuguesa (CPLP), passa a vigorar no Brasil em 1º de janeiro de 2009. No fim da vida, Houaiss fundou o Instituto que leva seu nome, ao qual deixou todo o seu acervo de estudos sobre a língua portuguesa, dando início a uma série de publicações, que se iniciaram com o *Grande Dicionário Houaiss*.

Faleceu em 1999, sem testemunhar o seu êxito na luta pela unificação ortográfica, mas, nos seus oito anos finais, não deixou de trabalhar sobre este texto que aqui apresentamos, num esforço para esclarecer eventuais dúvidas dos usuários da língua a respeito de como escrever pelo novo código ortográfico.

O nome de Antônio Houaiss associa-se neste livro, através do Instituto que criou, ao de um respeitado professor da Universidade do Estado do Rio de Janeiro e ex-professor da Universidade Federal do Rio de Janeiro, José Carlos de Azeredo, pensador da filosofia da língua e autor de gramáticas, cuja obra Antônio sempre valorizou. Sua função aqui foi não apenas a de rever textos deixados por Antônio, mas acrescentar-lhes matéria, informações e enriquecê-los de observações e interpretações da letra do Acordo atual, visando sempre a que o esclarecimento das dúvidas de todos aqueles que terão de escrever ou rever textos pela nova ortografia fosse o mais simples possível.

O resultado desse trabalho conjunto foi este livro conciso e amigavelmente redigido, vazado em linguagem simples e comunicativa, preocupado com que as perplexidades e vacilações de seus leitores sejam respondidas a contento. Seu texto traz uma simplificação do Acordo acerca do que é básico para nós, brasileiros, nas alterações introduzidas pelas novas regras; oferece também o texto integral do Acordo, para aqueles que desejarem conhecê-lo com maior profundidade. Um quadro sinótico sobre o emprego do hífen repisa o que é dito no item da simplificação acima referida e esclarece casos de elementos antepositivos de que o Acordo não tratou expressamente, o que trará mais uma ajuda aos usuários.

O texto deste livro foi grafado utilizando a nova ortografia de que ele fala, mas a íntegra do Acordo em sua forma oficial foi deixada tal como foi redigida.

O Instituto Houaiss, através de sua Editora Paracatu com o selo Houaiss, e a Publifolha associam-se nesta oportunidade, para dar a público este vade-mécum simplificado da ortografia do novo Acordo, de autoria de seu mentor maior, Antônio Houaiss, com a revisão e acréscimos do Instituto e os de um doutor em letras que foi seu admirador, amigo e colaborador, o Professor José Carlos de Azeredo.

Mauro de Salles Villar

*Diretor do Instituto
Antônio Houaiss de Lexicografia*

I

Considerações preliminares

1. Função sociocultural de uma língua

Qualquer língua expressa a cultura da comunidade que a fala, transmitindo-a através das gerações e fazendo-a circular no seio dessa comunidade. Por desempenhar tão ampla função, a língua é considerada um autêntico alicerce da estrutura social: além de sua utilidade mais óbvia como instrumento cotidiano das interações humanas, ela possibilita a construção de conhecimentos e sua armazenagem em arquivos sonoros ou impressos para uso na ciência, na educação, na literatura, no direito, na religião, no lazer, na administração pública etc. No desempenho dessa função cultural universalista e integradora, em que sobressai como meio de alcançar e de transmitir o conhecimento, a língua perde muito daquela espontaneidade típica da comunicação face a face. É nesse patamar, contudo, que atua a escrita, recurso essencial de expressão de todos os meios gráficos de circulação do conhecimento e da informação: jornais, revistas, boletins, cartazes, leis, enciclopédias, livros em geral. Como discurso ou estilo, é natural que essa escrita revele diferenças regionais, individuais ou profissionais, mas como representação gráfica é necessário que o leitor reconheça em cada forma escrita a mesma palavra, aquela forma que, mesmo sendo desconhecida, se encontra registrada sob a mesma grafia em um dicionário.

2. Variação linguística e uniformização ortográfica

Existe um conflito insuperável entre o ideal de uniformidade de um sistema ortográfico e a realidade oral de uma língua, caracterizada pela variação social tanto quanto regional. Por mais que se busque retratar por meio dele a pronúncia das palavras – por exemplo, fazendo que um dado sinal (uma letra, um acento) tenha uma relação biunívoca com um elemento sonoro qualquer –, esse sistema jamais conseguirá realizar tal correspondência com perfeição. Com efeito, uma mesma palavra pode ser diferentemente pronunciada pela mesma pessoa quando esta se dirige a uma plateia ou quando conversa informalmente (cf., p. ex., pronúncias para *abóbora*, *fósforo* e *ferrugem*); além disso, essa diferença pode ser ainda maior quando 'a mesma palavra' é pronunciada por indivíduos naturais de diferentes regiões (cf., p. ex., as pronúncias de *porta* na fala de gaúchos, de cariocas, de mineiros ou de paulistas) ou pertencentes a diversos níveis socioculturais (p. ex.: *problema*, *poblema*, *pobrema*). Por outro lado, uma palavra pode apresentar diferentes realizações fonéticas ao ser dita sozinha ou seguida de outra (cf. a pronúncia de *fez* quando seguida de silêncio e quando seguida de outra palavra começada por vogal, p. ex. '*fez isso*').

Por estas e outras razões, a ortografia jamais poderá ser rigorosa ou exclusivamente fonética. A ninguém ocorreria a conveniência de variar a grafia de *fez* segundo a pronúncia do 'z' final em cada caso ou a grafia de *porta* segundo a região. A padronização gráfica das palavras reflete uma imagem de unidade e de uniformidade em si mesma artificial, visto que tal unidade nunca se realizou, não se realiza e jamais se realizará na fala corrente. Isto não significa, porém, que a ortografia seja arbitrária, como prova o exemplo de 'fez' mencionado anteriormente. A ortografia do português é predominantemente fonológica, mas conserva vestígios etimológicos (como o 'z' do sufixo **-eza** [do lat. *-itia*] ou o 's' do sufixo **-oso** [do lat. *-osum*]). A mesma etimologia, porém, está na raiz da regularidade com que alternamos os sinais 'z' e 'c' em pares como *feliz/felicidade, atroz/atrocidade, falaz/falácia, perspicaz/perspicácia*. A impressão de arbitrariedade dessas convenções se dilui à medida que observamos mais atentamente em que elas se fundamentam.

A ortografia de uma língua consiste na padronização da forma gráfica de suas palavras para o fim de uma intercomunicação social universalista, e só em casos excepcionais são admitidas duas grafias para uma mesma palavra. Pela tradição brasileira, as normas ortográficas, ordinariamente propostas por comissões de especialistas e aprovadas pelo Congresso Nacional, entram em vigor por ato do poder executivo federal. Portanto, compete ao poder público oficializar mudanças nas convenções ortográficas, mas tais alterações não significam mudanças linguísticas, já que, por mais que possa refletir em parte o sistema de sons da língua, a ortografia não faz parte desse sistema. Unificação ortográfica nada tem a ver com uniformização da língua. As línguas são como são em virtude do uso que seus falantes fazem dela, e não de acordos de grupos ou de decretos de governo.

II

Sobre a língua e a ortografia portuguesas

1. Breve história externa da língua

Uma língua é muito mais que um meio de comunicação; ela é, sobretudo, um patrimônio historicamente construído pelas sociedades que a falam e, em muitos casos, também a escrevem. O estudo de qualquer língua pode focalizar uma dada etapa de sua existência no curso do tempo (isto é, considerá-la em sua sincronia) ou investigar sua formação e evolução através da história (isto é, observá-la em sua diacronia). Pode-se estudar a história de uma língua de duas perspectivas: externa e interna. Por história externa entendem-se, por exemplo, as relações políticas do(s) povo(s) que a utiliza(m); por história interna, as modificações linguísticas propriamente ditas (fonéticas, morfológicas, vocabulares etc.).

A origem do português é o latim, antiga língua falada no Lácio, região central da Península Itálica. Em meados do século VIII a.C., Roma foi fundada nessas terras e uma notável civilização se iniciava.

Com o passar dos séculos, o expansionismo romano foi ampliando as suas fronteiras, atingindo localidades mais e mais distantes. No início do segundo século da nossa era, o Império Romano compreendia as penínsulas Itálica e Ibérica, o centro-sul da Europa, o norte da África e o Oriente Próximo.

A ocupação da Península Ibérica pelos romanos ocorreu no período da Segunda Guerra Púnica (218 a.C. – 201 a.C.). A faixa ocidental do território abrigava diferentes povos, conhecidos segundo designações dadas pelos romanos. O rio Douro separava os *Gallaeci*, localizados no extremo norte, e os *Lusitani*, situados na porção central em direção ao sul. A região mais abaixo do rio Guadiana era ocupada pelos *Celtici*. Subjugados pelo conquistador, esses povos foram pouco a pouco abandonando as línguas próprias em proveito do latim.

Como se pode imaginar, não foi o latim clássico, dos grandes escritores romanos e latinos e falado pelas classes romanas mais abastadas, que penetrou na Península Ibérica e demais espaços conquistados. Quem fez esse papel foi o latim popular, falado pelas tropas invasoras. Essa variante vulgar sobrepôs-se às línguas dos povos dominados e com elas caldeou-se, dando origem aos dialetos que viriam a se chamar genericamente de romanços ou romances (do latim *romanice*, isto é, 'à moda dos romanos').

No século V d.C., o Império Romano ruiu e os romanços passaram a diferenciar-se cada vez mais, dando origem às chamadas línguas neolatinas ou românicas: italiano, francês, provençal, espanhol, português, catalão, romeno, rético, sardo etc.

Séculos mais tarde, Portugal funda-se como nação, ao mesmo tempo que o português ganha seu estatuto de língua, da seguinte forma: enquanto Portugal estabelecia as suas fronteiras no século XIII, o galego-português patenteava-se em forma literária.

Cerca de três séculos depois, Portugal lança-se numa expansão de conquistas que, à imagem do que Roma fizera, levou a língua portuguesa a remotas regiões do Globo: Guiné-Bissau, Angola, Moçambique, Singapura, Índia, Brasil, para citar uns poucos exemplos em três continentes.

Muito mais tarde, essas colônias tornaram-se independentes – o Brasil no século XIX, as demais no século XX –, mas a língua de comunicação foi mantida e é hoje oficial em oito nações independentes do mundo: Portugal, Brasil, Angola, Moçambique, Cabo Verde, Guiné-Bissau, São Tomé e Príncipe e Timor-Leste.

2. Breve história interna da língua

Considera-se que a história da nossa língua tem início no século XIII, por ser esse o momento em que lhe aparecem registros escritos. Antes disso, porém, é possível assinalar dois estágios de sua evolução: uma *pré-história*, quando o idioma, embora falado, não é documentado; e uma *proto-história*, época em que as primeiras palavras do português surgem, por exemplo, em textos do baixo-latim e do latim cartorial, na Idade Média.

Quanto à datação, os três períodos podem ser assim considerados: o *pré-histórico*, que vai do século V ou VI até o século IX, sem documentação; o *proto-histórico*, do século IX ao século XIII, com a presença de palavras portuguesas em textos latino-bárbaros (mistura de formas latinas com formas romances); e o *histórico*, do século XIII aos nossos dias, com textos totalmente escritos em português (ou galego-português).

Esse último período – o *histórico* –, por suas peculiaridades linguísticas, costuma ser dividido em duas fases: a *arcaica*, que vai do século XIII ao século XVI – momento em que se elabora, por exemplo, nossa primeira gramática (*Gramática da Linguagem Portuguesa*, de Fernão de Oliveira, surgida em 1536) –, e a *moderna*, que tem início no século XVI e vem até nossos dias.

3. A ortografia portuguesa: percurso

Em relação à ortografia, o período histórico abrange três ciclos: o da *ortografia fonética* (do século XIII ao XVI), o *ciclo pseudoetimológico* (do século XVI até 1904) e a *fase simplificada* (dessa data até hoje).

O primeiro ciclo é o do *período arcaico* da língua, quando a escrita procurava basear-se na pronúncia. Os copistas não grafavam letra que não fosse pronunciada, por exemplo, como no caso dos **h** iniciais. No fim desse ciclo, a influência latina se fez sentir e a escrita começou a se distanciar da pronúncia. Escreveu-se, por exemplo, *nocte* por noite e *fructo* por fruito ou fruto.

No segundo ciclo, o *pseudoetimológico*, a escrita sofreu forte influência greco-latina por influxo do pensamento da Renascença. A grafia do latim passa a ser o modelo da escrita do português, que, então, absorve usanças ortográficas clássicas. É o tempo dos **rh** (como em *rhomboidal*), **th** (como em *theatro*), **ph** (como em *phosphoro*) e **ch** (com som de \k\, como em *chrisma*). Esse desenvolvimento dificultou a escrita e chegaram a fixar-se grafias errôneas para algumas palavras, como *egreja* e *eschola*. No final desse ciclo, já ocorre uma tentativa de simplificação do sistema ortográfico.

O terceiro ciclo, ou *fase simplificada*, surgiu com o trabalho do foneticista português Gonçalves Viana, que publicou em 1904 o livro *Ortografia Nacional*, no qual desenvolve uma análise da história interna da língua e estuda suas tendências fonéticas. Os fundamentos de sua tese, em síntese, eram:

a) eliminação dos símbolos de etimologia grega (**th**, **ph**, **ch** \k\, **rh**, **y**);

b) eliminação de consoantes "mudas": *sancto – santo, septe – sete*;

c) regularização da acentuação gráfica.

Deve-se, portanto, a Gonçalves Viana a proposta de simplificação ortográfica que inspiraria a feição das ortografias praticadas em Portugal e no Brasil ao longo do século XX. Portugal realizou sua reforma em 1911, mas os entendimentos entre os dois países para uma ortografia comum só teriam início em 1924 e culminariam em 1931 com a adoção, pelo Brasil, da ortografia simplificada. Porém, a norma ortográfica hoje em vigor entre nós é essencialmente a do Formulário Ortográfico aprovado pela Academia Brasileira de Letras em 1943. Dois anos depois, Brasil e Portugal negociariam um novo Acordo. Portugal seguiu-o, mas o Congresso brasileiro não o ratificou. Só em 1971 a ortografia vigente no Brasil incorporaria algumas das alterações previstas no Acordo de 1945, como a supressão do circunflexo diferencial. A retomada dos entendimentos visando à unificação resultou no Acordo Ortográfico de 1990, que, segundo sua redação original, só poderia entrar em vigor após ratificado por todos os países signatários, então em número de sete. Esta exigência foi alterada por nova deliberação, formalizada em agosto de 2004 graças ao Segundo Protocolo Modificativo (transcrito neste volume), que definiu "a entrada em vigor do Acordo com o depósito dos instrumentos de ratificação por três países signatários". O Brasil cumpriu esta exigência em 2004, seguido de Cabo Verde, em fevereiro de 2006, e de São Tomé e Príncipe, em dezembro desse mesmo ano.

4. Uma língua, duas ortografias

Pode-se dizer que, embora as ortografias portuguesa e brasileira sigam uma orientação semelhante (baseadas nas propostas de Gonçalves Viana), não há uniformidade: cada país segue normas próprias.

O fato de existirem duas grafias oficiais da língua acarreta problemas na redação de documentos em tratativas internacionais e na publicação de obras de interesse público. Esse problema tornou-se ainda mais agudo a partir de 1975, com a independência política de São Tomé e Príncipe, Guiné-Bissau, Cabo Verde, Angola, Moçambique e, muito recentemente, Timor-Leste, ex-colônias do Ultramar português. Ampliou-se para oito, portanto, o número de países que têm o português como língua oficial (em Timor-Leste há uma segunda língua oficial, o tétum, mais falada que o português), formando uma comunidade que já passa de 230 milhões de pessoas em quatro continentes.

Qualquer língua em uso está sujeita a variações fonéticas, morfológicas, sintáticas, vocabulares. É natural, portanto, que, sendo falada por uma população tão grande dispersa por localidades tão diversas, a língua portuguesa apresente diferenças razoáveis entre as variedades brasileira, europeia e africana. Sua escrita segue hoje dois sistemas ortográficos: o do Brasil e o de Portugal, adotado nos demais países. Por serem de base predominantemente fonética, esses dois modelos não poderiam deixar de refletir a diferença entre as duas bem conhecidas normas de pronúncia.

Estes países estão convencidos, porém, de que a inexistência de uma ortografia oficial comum cria não apenas dificuldades de natureza linguística, mas também de natureza política e pedagógica. Daí o esforço que os une pela efetivação do novo Acordo.

A unificação da ortografia – é oportuno lembrar – não implica a uniformização ou unificação da língua em qualquer de seus aspectos (vocabulário, construção gramatical, pronúncia). As variedades de uso fazem parte da língua e jamais estão sujeitas aos efeitos de atos normativos emanados de qualquer autoridade pública. E mesmo no âmbito do Acordo Ortográfico, embora as regras ortográficas sejam as mesmas para todos os países que o assinam, passa-se a admitir, em certos casos, duplas grafias correspondentes à diferença das normas cultas de pronúncia do português.

III

O Acordo

1. Desenvolvimentos e propósitos

Em maio de 1986, em um encontro ocorrido no Rio de Janeiro, seis representantes dos países de língua oficial portuguesa – hoje, estes países são oito – deram o primeiro passo para o estabelecimento de um amplo acordo ortográfico. Fizeram-se representar Brasil, Portugal, Angola, Moçambique, Cabo Verde e São Tomé e Príncipe. O negociador da Guiné-Bissau não pôde comparecer por motivos alheios ao evento, e Timor-Leste ainda não era uma república independente (o referendo pela independência do território, então sob domínio indonésio, data de 1999, e seu primeiro presidente foi escolhido em eleições livres em 2001).

Do trabalho desse grupo resultou um projeto de acordo que foi, posteriormente, avaliado como demasiado drástico, por propor uma simplificação do sistema de acentuação gráfica e a supressão dos acentos nas palavras proparoxítonas e paroxítonas. Tal tentativa de composição acabou por ser posta de lado, por força da grande oposição às alterações sugeridas que sofreu.

Em outubro de 1990, em Lisboa, reuniram-se novamente as delegações daqueles sete países, visando chegar a uma solução para o impasse, tendo sido, então, firmado um pacto efetivamente. As deliberações a que chegaram os representantes das sete nações naquela oportunidade foram:

a) Os signatários do Acordo devem torná-lo lei em seus respectivos países.

b) A Academia das Ciências de Lisboa e a Academia Brasileira de Letras serão responsáveis pela publicação de um vocabulário ortográfico comum da língua portuguesa.

O texto do novo Acordo é menos radical que o proposto em 1986; procura atender de forma mais satisfatória às necessidades linguísticas dos diferentes países que usam o português como língua de cultura, contribuindo para que os textos impressos em língua portuguesa circulem sem restrições de ordem técnica ou pedagógica nesses territórios e para que se fortaleça o sentimento de unidade do idioma em sua manifestação gráfica. É também uma forma de defender o nosso idioma de processos de desagregação. São dois os objetivos básicos que pretende atingir: o primeiro é fixar e restringir as diferenças de escrita atualmente existentes entre os falantes da língua; o segundo é ensejar uma comunidade que se constitua num grupo linguístico expressivo, capaz de ampliar seu prestígio junto aos organismos internacionais.

O novo Acordo ratifica o privilégio do fundamento fonético em detrimento do etimológico, ou seja, é o critério da pronúncia que justifica a existência de grafias duplas e a supressão das consoantes "mudas" ou não articuladas. O texto do novo pacto ortográfico pretende dar conta de 98% do vocabulário geral da língua.

2. Versão concisa e simplificada do Acordo

O novo Acordo Ortográfico está organizado em 21 bases, que abordam os seguintes tópicos:

Base I – Alfabeto e grafia de nomes próprios estrangeiros
Base II – Uso do *h*
Base III – Grafemas consonânticos
Base IV – Sequências consonânticas
Base V – Vogais átonas
Base VI – Vogais nasais
Base VII – Ditongos
Bases VIII, IX, X, XI, XII, XIII – Acentuação gráfica
Base XIV – Uso do trema
Bases XV, XVI, XVII – Uso do hífen
Base XVIII – Uso do apóstrofo
Base XIX – Uso de letras maiúsculas e minúsculas
Base XX – Divisão silábica
Base XXI – Grafia de assinaturas e firmas

O texto completo do Acordo está reproduzido na página 62. Aqui, por razões didáticas, iniciamos com uma sintetização dos seus itens que mais possam interessar ao leitor e aos professores de português, desenvolvendo esse segmento paralelamente à estrutura das bases do texto original. As informações que damos são concisas e usam de linguagem acessível. Acrescentamos-lhes ainda notas que elucidam o sentido de alguns conceitos e termos empregados no texto do Acordo, para contornar dúvidas que porventura ocorram.

Antes do texto completo do Acordo, há ainda um quadro-resumo.

Para facilitar a leitura desses textos e perceber-se o que foi alterado e o que continuou igual, cada regra vem precedida das seguintes letras:

N (Novo) Regra nova, sem correspondente no sistema ortográfico vigente (algumas vezes trata-se apenas de fixar normas para usos ortográficos já consagrados);
A (Alterado) Houve mudança na regra atualmente vigente;
M (Mantido) Não houve mudança na regra atualmente vigente;
DG (Dupla grafia) Aceitam-se duas ortografias oficiais em razão de diferentes pronúncias cultas da língua.

Base I

Do alfabeto e dos nomes próprios estrangeiros e seus derivados

A 1. O alfabeto da língua portuguesa era de 23 letras e passa a ter 26 letras, com a inclusão de **k**, **w**, **y**.

M 2. Empregam-se as letras **k**, **w**, **y** em casos especiais:
a) em nomes próprios de pessoas (**antropônimos**) originários de outras línguas e em seus derivados: *Byron*, *byroniano*.
b) em nomes próprios de lugar (**topônimos**) originários de outras línguas e em seus derivados: *Malawi*, *malawiano*.
c) em siglas, símbolos e palavras adotadas como unidades de medida de uso internacional: *kg* (quilo).

M 3. Os vocábulos derivados de nomes próprios estrangeiros mantêm seus **sinais diacríticos** e suas sequências de letras, mesmo que estes não sejam próprios da nossa língua escrita. Conservam-se, assim, por exemplo, a sequência **sh** em *shakespeariano*

(de Shakespeare), a sequência **mt** em *comtista* (de Comte), a sequência **tt** em *garrettiano* (de Garrett), o trema em mülleriano (de Müller) etc.

sinais diacríticos:
sinais que conferem às letras ou grupos de letras um valor fonológico especial. Os sinais diacríticos usados em português são: acento agudo (´), acento grave (`), acento circunflexo (^), trema (¨), til (~), hífen (-), cedilha (ç).

N 4. Os nomes próprios hebraicos de tradição bíblica podem conservar os finais **ch**, **ph** e **th** ou simplificá-los: *Loth* ou *Lot*. Se o dígrafo for mudo, deverá ser eliminado: *Joseph*, *José*; se, pelo uso, permitir adaptação, adiciona-se uma vogal: *Judith*, *Judite*.

N 5. Em antropônimos e topônimos de tradição bíblica, podem conservar-se ou não ser mantidas as consoantes finais **b**, **c**, **d**, **g** e **t**, consagradas pelo uso, quer sejam pronunciadas, quer não: *David*, *Davi*.

No mesmo caso, incluem-se: *Madrid*, *Calecut*[1] ou *Calicut*. Com grafia única, destaca-se a palavra *Cid*, em que o **d** sempre é pronunciado.

N 6. Sempre que possível, devem-se substituir os topônimos de línguas estrangeiras por formas próprias da língua nacional (**formas vernáculas**), quando estas sejam antigas e ainda vivas em português: *Zurique* por *Zürich*.

1. Cidade da Índia.

Base II

O *h* inicial e final

M 1. Emprega-se o **h** inicial:

a) em razão da origem da palavra: *homine* (latim), *homem*.

b) por adoção convencional: *hã?*, *hem?*, *hum!*.

M 2. Elimina-se o **h** inicial:

a) quando, apesar da etimologia, o uso consagrou sua supressão: *erva*, em vez de *herva*.

b) nos vocábulos compostos em que o segundo elemento, com **h** inicial, se aglutina ao primeiro: *re-* + *habilitar* = *reabilitar*.

M 3. Mantém-se o **h** inicial do segundo elemento de vocábulos compostos e derivados, ligado ao primeiro por meio de hífen: *sobre-humano*.

M 4. Emprega-se o **h** final em interjeições: *ah!*.

Base III

Da *homofonia* de certos *grafemas consonânticos*

homofonia:
som ou pronúncia semelhante.

grafemas consonânticos:
sinais gráficos (letras) representativos dos sons consonantais.

M Constituem grafemas consonânticos em português:

- **ch** e **x**: *macho*, *xadrez*;
- **g** e **j**: *girafa*, *jejum*;
- **s**, **ss**, **c**, **ç** e **x**: *selim*, *amassar*, *cetim*, *moça*, *máximo*;
- **s** (em final de sílaba), **x** e **z**: *esgotar*, *explicar*, *velozmente*;
- **s** (final de palavra), **x** e **z**: *anis*, *cálix*, *dez*;
- **s**, **x** e **z** (no interior da palavra): *Brasil*, *exército*, *pureza*.

O emprego desses grafemas consonânticos é determinado fundamentalmente pela história das palavras. Assim, o Acordo proposto não apresenta normas que alteram o seu emprego.

Base IV

Das sequências consonânticas

1. Nas **sequências consonânticas interiores cc**, **cç**, **ct**, **pc**, **pç** e **pt**, a primeira letra (**c** ou **p**) ora se conserva, ora se elimina.

sequências consonânticas interiores:
sequências de consoantes que não se encontram nem no início nem no final da palavra. Exemplos: *pacto*, *inepto*.

As pronúncias cultas da língua são o que determina a sua conservação e/ou a sua eliminação:

M a) quando existe uniformidade nessas pronúncias, no que diz respeito aos países signatários do Acordo, a grafia será única: *ficção*, *apto*, *ato*, *Egito*.

DG b) quando tal uniformidade não existe, admite-se dupla grafia: *sector*, *setor*; *concepção*, *conceção*.

Obs.: No caso das sequências consonânticas interiores **mpc**, **mpç** e **mpt**, se o **p** for eliminado, a letra **m** passa a **n**: *assumpção*, *assunção*; *sumptuoso*, *suntuoso*.

DG 2. Nas sequências consonânticas **bd**, **bt**, **gd**, **mn** e **tm**, a primeira letra (**b**, **g**, **m** ou **t**) conserva-se ou elimina-se facultativamente, uma vez que na língua não existe uniformidade de pronúncia: *súbdito*, *súdito*; *subtil*, *sutil*; *amígdala*, *amídala*; *amnistia*, *anistia*; *aritmética*, *arimética*.

Base V

Das vogais átonas

M 1. A **etimologia** e a história das palavras determinam o emprego do **e** ou do **i**, do **o** ou do **u**, em sílaba átona: *peanha*, *lampião*; *goela*, *tabuada*.

etimologia:
estudo da origem e da evolução das palavras.

2. Os dicionários e os vocabulários ortográficos devem ser consultados sempre que haja dúvidas. Contudo, podem ser sistematizados alguns empregos dessas vogais:

M a) Substantivos e adjetivos derivados de substantivos terminados em **-eio** e **-eia** (ou que com eles estão em relação direta) escrevem-se com **e**: *candeeiro*, de *candeia*; *areal*, de *areia*.

M b) Se a palavra primitiva termina em **e** tônico (o qual pode representar um antigo hiato **ea**, **ee**), os derivados escrevem-se com **e**, antes de vogal ou ditongo tônico: *daomeano*, de *Daomé*; *guineense*, de *Guiné*.

A c) Os sufixos **-iano** e **-iense** mantêm o **i** nos substantivos e adjetivos derivados, mesmo que as respectivas formas primitivas possuam **e**: *acriano*, de *Acre*; *saussuriano*, de (Ferdinand de) *Saussure*; *torriense*, de Torres.

N d) Substantivos que constituem variações de outros terminados por vogal devem ser grafados sempre com final **-io**, **-ia** átono (e não **-eo**, **-ea**): *veste*, *véstia*.

e) O item **e** abrange quatro resoluções para os verbos terminados em **-ear** e **-iar**.

M e_1) Os verbos terminados em **-ear**, no presente do indicativo e nas formas dele derivadas (presente do subjuntivo e imperativo), recebem um **i**, porque possuíam essa letra no substantivo primitivo (*encadear* [de *cadeia*], *encadeio, encadeiam*) ou porque possuem **flexões rizotônicas** (*clarear* [de claro], *clareio, clareiam*).

flexão rizotônica:
forma verbal cuja sílaba tônica cai em uma das sílabas do radical.

M e_2) Os verbos terminados em **-iar** normalmente distinguem-se dos terminados em **-ear** no presente do indicativo. Exemplo: *acariciar, acaricio.*

M e_3) Ainda com os verbos terminados em **-iar**, há dois outros grupos que devem ser observados. No primeiro, incluem-se *mediar, ansiar, remediar, incendiar, odiar* (*medeio, anseio* etc.), que fazem a terminação no presente do indicativo como os terminados em **-ear**.

DG e_4) No segundo grupo, verbos ligados a substantivos com as terminações átonas **-ia**, **-io** admitem conjugações variantes: *negocio* ou *negoceio* (cf. *negócio*).

M f) Não se deve empregar o **u** final átono em palavras de origem latina: *moto*, e não *mótu*.

M g) Os verbos em **-oar** possuem **o** nas formas rizotônicas: *abençoar, abençoo*; *magoar, magoam.*

Os verbos em **-uar** possuem **u** na sílaba tônica: *acentuar, acentuo.*

Base VI

Das vogais nasais

M 1. Usa-se **ã** em fim de palavra ou em fim de elemento seguido de hífen: *lã*, *Grã-Bretanha*.
Usa-se **m** em fim de palavra com vogal diferente de **-a**: *clarim*.
Usa-se **n** em fim de palavra com vogal diferente de **-a**, seguida de **s**: *semitons*.

M 2. Mantém-se o **ã** da palavra primitiva em derivados com sufixo **-mente** ou sufixo iniciado por **-z**: *irmãmente*, *romãzeira*.

Base VII

Dos ditongos

M 1. Os ditongos orais, em posição tônica ou átona, escrevem-se **ai**, **au**, **eu**, **ei**, **iu**, **oi**, **ou**, **ui**: *gaita*, *baixote*; *caule*, *mausoléu*; *correu*, *endeusar*; *leito*, *meirinho*; *floriu*, *miuçalha*; *açoite*, *açoitar*; *regouga*, *retoucar*; *fortuito*, *uivo*.

A Os ditongos abertos **éi**, **éu**, **ói** são grafados com acento agudo apenas quando em sílaba final (*farnéis*, *chapéu*, *lençóis*), nos monossílabos tônicos (*léu*, *dói*) e quando ocorrem na sílaba tônica das palavras proparoxítonas (*alcalóidico*, *aracnóideo*). Não mais se assinala o timbre aberto desses ditongos em outras posições: *teteia*, *jarandeua*, *jiboia*, *heroico*.
Obs.: Excepcionalmente, grafa-se **ae** (= **âi** ou **ai**) nos antropônimos *Caetano*, *Caetana* e seus derivados e compostos.
Da mesma forma, grafa-se **ao** (= **âu** ou **au**) nas combinações da preposição **a** com as formas masculinas do artigo ou pronome demonstrativo: **ao**, **aos**.

2. Ainda em relação aos ditongos orais, ocorrem as seguintes normas particulares:

M a) Os verbos terminados em **-uir** mantêm a letra **i** nas 2ª e 3ª pessoas do singular do presente do indicativo, e na 2ª pessoa do singular do imperativo afirmativo: *possuis*, *possui*. Portanto, esse ditongo é grafado **ui** também nos substantivos (*Rui*). Padroniza-se, assim, o uso do **i** neste ditongo (**ui**) e nos ditongos paralelos **ai** e **ói**, como nos verbos terminados em **-air** e **-oer** (*atrai*, *mói*).

M b) Em palavras de origem latina, a união de um **u** a um **i** átono sempre é representada por **ui**: *fluido*, *gratuito*. No entanto, essa mesma sequência de letras pode representar um hiato e as vogais **u** e **i** são pronunciadas separado: *fluidez*, *gratuidade*.

M c) Além dos ditongos orais decrescentes, podem representar ditongos orais crescentes as sequências vocálicas pós-tônicas **ea**, **eo**, **ia**, **ie**, **io**, **oa**, **ua**, **ue**, **uo**: *áurea*, *óleo*, *calúnia*, *espécie*, *exímio*, *mágoa*, *míngua*, *tênue/ténue*, *tríduo*.

3. Quanto aos ditongos nasais:

M a) Os ditongos nasais podem ser representados por vogal com til e **semivogais**: **-ãe** (oxítonos e derivados), **-ãi** (paroxítonos e derivados), **-ão** e **-õe**: *pãezinhos*, *cãibra*, *sótão*, *limões*.

semivogais:
o **i** e o **u**, as mais comuns, quando acompanham vogal numa mesma sílaba, no início ou fim dessa sílaba (nunca no meio).

Obs.: O ditongo **ui** é grafado sem o til nas formas **muito** e **mui**. Obedecendo às pronúncias cultas da língua, **ruim** tem hiato.

M b) Os ditongos nasais podem ser representados por **vogal** seguida de **m**:

- **-am**, em sílaba átona de formas verbais: *cantam*;
- **-em**, em sílabas átonas ou tônicas de diversas categorias morfológicas, incluindo verbos. Apresenta variações gráficas, determinadas pela posição e/ou pela acentuação: *sem*, *virgem*, *convém*, *benquisto*, *têm* (3ª pessoa do plural), *parabéns*.

Base VIII

Da acentuação gráfica das palavras oxítonas

1. Emprega-se o acento agudo:

M a) Nas vogais abertas **a**, **e**, **o** – seguidas ou não de **s** – dos monossílabos tônicos, ou quando ocupam a última sílaba dos vocábulos oxítonos: *já, é, pó, pontapé, paletós.*

DG **Obs.**: A vogal **e** de certas palavras, nas pronúncias cultas da língua, pode ser aberta ou fechada, admitindo, portanto, o acento agudo ou o acento circunflexo: *bebê*, *bebé*.

O mesmo vale para: *cocó* e *cocô*, *ró* e *rô* (designação de letra do alfabeto grego).

Ao lado das formas *judô* e *metrô* são também admitidas *judo* e *metro* (paroxítonas).

M b) Em formas verbais que se tornam oxítonas terminadas pela vogal aberta **a**, em virtude da conjugação com os pronomes **-lo**(**s**) ou **-la**(**s**): *dá-la* (de *dar* + *la*), *habitá-la-ás* (*habitar* + *la* + *ás*).

habitá-la-ás/compô-lo-ei:
a acentuação gráfica das formas verbais obedece às mesmas regras das demais palavras: *habitarás*, *compôs* (oxítonos terminados em **as/os**). A essas formas podem juntar-se pronomes pessoais átonos. Em caso de ênclise, há a queda de consoantes finais (**r**, **s**, **z**) e a adequada acentuação gráfica da vogal (**a**, **e**, **o**) da sílaba tônica:

habitar + lo = habitá-lo
compôs + la = compô-la
fez + los = fê-los

Se o pronome ocorre em mesóclise, cai o **r** que inicia a sílaba tônica, e a vogal precedente leva acento gráfico como nos casos ao lado:

habitarás + la = habitá-la-ás,
habitaríamos + los = habitá-los-íamos,
lerei + o = lê-lo-ei,
comporia + la = compô-la-ia.

M c) Em oxítonas com mais de uma sílaba, terminadas em **-em** ou **-ens**: *harém*, *parabéns*.
Obs.: Os verbos derivados de **ter** e **vir** na 3ª pessoa do plural recebem acento circunflexo: *sustêm*, *provêm*.

M d) Em monossílabos tônicos e palavras oxítonas terminadas nos ditongos abertos **-éis**, **-éu(s)**, **-ói(s)**: *fiéis*, *véu(s)*, *herói(s)*.

2. Emprega-se acento circunflexo:

M a) Em oxítonas terminadas nas vogais fechadas **e** ou **o**, seguidas ou não de **s**: *lê(s)* (verbo *ler*), *robô(s)*.

M b) Em formas verbais que se tornam oxítonas terminadas pelas vogais fechadas **e** ou **o**, em virtude da conjugação com os pronomes **-lo(s)** ou **-la(s)**: *tê-la* (de *ter* + *la*), *compô-la* (de *compor* + *la* e de *compôs* + *la*).

M c) Na forma verbal **pôr**, para distingui-la da preposição **por**.

Base IX

Da acentuação gráfica das palavras paroxítonas

M 1. As paroxítonas normalmente não são acentuadas.

2. Emprega-se, porém, o acento agudo:

M a) Nas paroxítonas cuja vogal tônica é **a**, **e**, **o** (abertas), **i**, **u**, terminadas em:

l: *lavável* n: *éden* x: *tórax* ps: *bíceps* r: *açúcar*	ã(s): *órfã*(s) ão(s): *sótão*(s) ei(s): *jóquei*(s) i(s): *júri*(s) um, uns: *álbum/álbuns* us: *vírus*

As respectivas formas do plural dessas palavras normalmente seguem a mesma regra (*laváveis*, *tórax*, *bíceps*), salvo algumas (*almíscares*, *cadáveres*, *açúcares*), que passam a proparoxítonas.

As paroxítonas terminadas em **-ens** não são acentuadas: *edens*, *hifens*, *liquens*.

DG b) Algumas paroxítonas cujas vogais tônicas em fim de sílaba são seguidas de **m** ou **n** apresentam oscilação de timbre nas pronúncias cultas da língua, acarretando oscilação de acento gráfico: *fémur*, *fêmur*; *ónix*, *ônix*.

A 3. Os ditongos **ei** e **oi** abertos que constituem a sílaba tônica de palavras paroxítonas, como se disse mais anteriormente, não são mais acentuados: *estreia*, *paranoico*.

DG 4. A primeira pessoa do plural do pretérito perfeito do indicativo pode ou não receber acento gráfico, para distinguir-se da primeira pessoa do plural do presente do indicativo: *amámos*, *amamos*.

5. Emprega-se acento circunflexo:

M a) Nas paroxítonas cuja vogal tônica é **a**, **e**, **o** (fechadas), terminadas em:

l: *cônsul*	ão(s): *bênção*
n: *plâncton*[2]	eis: *têxteis*
r: *câncer*	i(s): *Mênfis*[4]
x: *ônix*[3]	us: *ânus*

As respectivas formas do plural dessas palavras normalmente seguem a mesma regra, com exceção de algumas (*cônsules*, *cânceres*, *âmbares*), que passam a proparoxítonas.

M b) Nas 3ªs pessoas do plural dos verbos **ter** e **vir**, a fim de se distinguirem das terceiras pessoas do singular: *têm*, *vêm*.

6. Emprega-se acento circunflexo:

M a) Em **pôde** (3ª pessoa do singular do pretérito perfeito do indicativo) para se distinguir de **pode** (3ª pessoa do singular do presente do indicativo).

2. Comunidade de pequenos organismos que vivem dispersos nas águas doce, salobra e marinha, ou no ar.

3. Variedade de ágata; mármore com camadas de várias cores.

4. Antiga capital do Egito.

DG b) **Facultativamente** em **dêmos** (1ª pessoa do plural do presente do subjuntivo), para se distinguir de **demos** (1ª pessoa do plural do pretérito perfeito do indicativo), e em **fôrma** (substantivo), para se distinguir de **forma** (substantivo ou verbo no presente do indicativo ou no imperativo).

A 7. Não se emprega o acento circunflexo nas 3ªs pessoas do plural do presente do indicativo ou do subjuntivo dos verbos **crer**, **dar**, **ler**, **ver** e seus derivados: *creem*, *deem*, *leem*, *veem*, *releem*.
Obs.: Não confundir com as formas da 3ª pessoa do plural dos verbos **ter**, **manter**, **reter** etc., que conservam o acento: (eles) *têm*, *mantêm*, *retêm* etc.

A 8. Não se emprega o acento circunflexo nas paroxítonas terminadas em **oo** (hiato): *enjoo*, *voo* (substantivo e verbo).

A 9. Não são assinaladas com acento gráfico as seguintes **palavras homógrafas**.

palavras homógrafas:
palavras de mesma grafia, mas de significado distinto. Exemplo: *cedo* (advérbio) e *cedo* (do verbo *ceder*).

para *(verbo)*	para *(preposição)*
pela(s)[5] *(verbo e substantivo)*	pela(s) *(per + la)*
pelo *(verbo)*	pelo(s) *(per + lo e substantivo)*
polo(s) *(substantivo)*	polo(s) *(por + lo(s) antigo e popular)*

5. Ato de *pelar* (verbo); bola usada para jogar e brincar (substantivo).

M 10. Não se emprega acento gráfico para distinguir paroxítonas com a mesma grafia (homógrafas) mas pronúncias diferentes (heterofônicas): *governo* (substantivo) e (eu) *governo* (do verbo *governar*); *acordo* (substantivo), *acordo* (verbo).

Base X

Da acentuação das vogais tônicas grafadas *i* e *u* das palavras oxítonas e paroxítonas

M 1. Levam acento agudo o **i** e o **u**, quando representam, em posição tônica, a segunda vogal de um hiato, desde que não estejam seguidos de **l**, **m**, **n**, **nh**, **r** e **z**: *país*, *ciúme*; mas, *rainha*, *paul*, *ruim*, *ruins*. O plural de *paul* é *pauis*, também sem acento gráfico (**u** tônico, formando hiato, e seguido de uma semivogal).

M 2. Recebem acento agudo as formas oxítonas de verbos em **-air** e **-uir** quando se combinam com formas pronominais enclíticas: *atraí-lo* (de *atrair* + *lo*), *possuí-la-ás* (de *possuir* + *la* + *ás*).

A 3. Não recebem acento agudo as palavras paroxítonas cujas vogais tônicas **i** e **u** são precedidas de ditongo decrescente: *feiura*, *boiuno*, *baiuca*.[6]

M 4. Recebem acento agudo as palavras oxítonas cujas vogais tônicas **i** e **u** são precedidas de ditongo: *Piauí*, *tuiuiús*.

M 5. Não recebem acento agudo os ditongos tônicos **iu**, **ui** precedidos de vogal: *distraiu*, *pauis*.[7]

---

6. Taberna.

7. Plural de *paul*: pântano.

6. Quanto à acentuação dos seguintes verbos:

A a) **Arguir** e **redarguir** não mais têm acento gráfico agudo no **u** tônico das formas rizotônicas: *arguis* (úis), *argui* (úi), *redarguem* (úem).

DG b_1) Verbos como **aguar**, **enxaguar**, **apaziguar**, **apropinquar**, **delinquir** têm dois paradigmas:

• com **u** tônico em formas rizotônicas sem acento gráfico: *averiguo, averiguas, averigue*; *delinquo, delinquis* (1ª e 2ª pessoas do presente do indicativo, na norma europeia).

• com o **a** ou **i** dos radicais tônicos e acentuados graficamente: *averíguo, averígue*; *delínques*; *águo, água, enxágue* (em uso no Brasil).

Obs.: A abolição do acento agudo nas formas verbais abrangidas por este item e a eliminação do trema (cf. Base XIV) dão origem a novas homografias: *argui*, por exemplo, representa graficamente a 3ª pessoa do singular do presente do indicativo ('u' tônico em *ele argui*), a 2ª pessoa do singular do imperativo afirmativo ('u' tônico em *argui* [*tu*]) e a 1ª pessoa do singular do pretérito perfeito ('i' tônico, com *u* sonante); *arguis* é grafia comum à 2ª pessoa do singular (com 'u' tônico) e à 2ª pessoa do plural (com 'i' tônico) do presente do indicativo; com *delinquis* tanto se grafa a variante europeia da 2ª pessoa do singular do presente do indicativo (*tu delinquis*, com 'u' tônico) quanto a 2ª pessoa do plural desse mesmo tempo nas normas europeia e brasileira (*vós delinquis*, com tonicidade no 'i'). Esta é a nossa leitura do texto do Acordo sobre esta questão quanto aos verbos.

M b_2) Verbos em **-inguir** cujo **u** não é pronunciado e verbos em **-ingir** possuem grafias regulares: *atingir, atinjo, atinjas*; *distinguir, distingue, distinguimos*.

Base XI

Da acentuação gráfica das proparoxítonas

M 1. Todas as proparoxítonas são acentuadas. Recebem acento agudo se a sílaba tônica é constituída de vogal ou ditongo aberto; recebem acento circunflexo, se a sílaba tônica é constituída de vogal ou ditongo fechado: *tomógrafo*, *récita*, *ânimo*, *cáustico*, *plêiade*.[8] Incluem-se na mesma regra as proparoxítonas aparentes, isto é, as terminadas em ditongos crescentes: *divisória*, *amêndoa*.

DG 2. Algumas proparoxítonas, reais e aparentes, cujas vogais tônicas em fim de sílaba são seguidas de **m** ou **n**, apresentam oscilação de timbre nas pronúncias cultas da língua, acarretando oscilação de acento gráfico: *gênero*, *género*; *Antônio*, *António*.

Base XII

Do emprego do acento grave

M Emprega-se o acento grave para assinalar a contração:

a) da preposição **a** com as formas femininas do artigo definido ou pronome demonstrativo: *à*(*s*);

b) da preposição **a** com os demonstrativos **aquele**(**s**), **aquela**(**s**), **aquilo**: *àquele*(*s*), *àquela*(*s*), *àquilo*;

c) da preposição **a** com **aqueloutro** e suas flexões: *àqueloutro*(*s*), *àqueloutra*(*s*).

8. Grupo de pessoas notáveis.

Base XIII

Da supressão dos acentos em palavras derivadas

M O acréscimo do sufixo **-mente** ou de um sufixo iniciado por **-z** determina a mudança da sílaba tônica (da palavra primitiva para a derivada). Assim, se a palavra primitiva possui acento gráfico (agudo ou circunflexo) ele é suprimido: *simultâneo, simultaneamente*; *céu, ceuzinho.*

Base XIV

Do trema

Quanto ao trema:

A a) O trema é inteiramente suprimido em palavras portuguesas ou aportuguesadas: *tranquilo, delinquir.*

M b) Conserva-se, no entanto, em palavras derivadas de nomes próprios estrangeiros: *mülleriano*, de *Müller.*

Base XV

Do hífen em compostos, locuções e encadeamentos vocabulares

1. Emprega-se o hífen:

M a) Nas palavras compostas por justaposição cujos elementos (substantivos, adjetivos, numerais ou verbos) constituem uma nova unidade morfológica e de sentido, mantendo o acento próprio, ainda que o primeiro elemento esteja reduzido: *sócio-gerente, arco-íris, afro-luso-brasileiro.*

A **Obs.**: Alguns compostos em que se perdeu a noção de composição grafam-se como uma única palavra: *paraquedas, paraquedista, girassol, passatempo* etc.

N 2. Emprega-se o hífen em topônimos iniciados por **grão** ou **grã**, por verbo ou se houver artigo entre os seus elementos: *Grã-Bretanha, Passa-Quatro, Baía de Todos-os-Santos.*

Obs.: Os demais topônimos compostos são escritos sem hífen: *América do Sul.* Duas exceções: *Guiné-Bissau* e *Timor-Leste.*

N 3. Emprega-se o hífen nas palavras compostas que designam espécies botânicas e zoológicas: *batata-inglesa, bem-te-vi.*

A 4. Emprega-se o hífen quando o primeiro elemento da palavra composta for **bem** ou **mal** e o segundo elemento começar por **vogal** ou **h**: *bem-apanhado, bem-humorado, mal-habituado, mal-estar.*

Obs.: O advérbio **bem** pode ou não aglutinar-se ao segundo elemento ainda que este comece por consoante: *bem-nascido* (cf. *malnascido*), *benfeitor.*

A 5. Emprega-se o hífen se o primeiro elemento da palavra composta for: **além**, **aquém**, **recém**, **sem**: *além-túmulo, aquém-mar, recém-nascido, sem-teto.*

M 6. Não se emprega hífen em locuções:

a) substantivas: *fim de semana*;

b) adjetivas: *café com leite*;

c) pronominais: *nós mesmos*;

d) adverbiais: *à vontade*;

e) prepositivas: *a fim de*;

f) conjuncionais: *logo que.*

Fazem exceção a esta regra palavras cuja grafia está consagrada pelo uso: *cor-de-rosa, mais-que-perfeito.*

A 7. Emprega-se o hífen em encadeamentos vocabulares ocasionais bem como em combinações históricas ou de topônimos ocasionais: ponte *Rio-Niterói*; tratado *Angola-Brasil*.

Base XVI

Do hífen nas formações por prefixação, recomposição e sufixação

recomposição:
processo de formação de palavras que envolve um elemento que, embora na origem seja um radical, mudou seu significado na língua moderna e passou a funcionar como um **falso prefixo**. Exemplo: **aero** em *aeromoça*.

falso prefixo:
radical de origem grega ou latina que assume o sentido global de um vocábulo do qual antes era elemento componente. Exemplo: **auto** é radical grego que significa "por si mesmo, próprio". Com esse sentido, entra na formação de palavras como *automóvel*. Na língua moderna, **auto** assume, então, o sentido especial de *automóvel*: "veículo movido por si mesmo". Com esse novo sentido, funcionando como primeiro elemento ou falso prefixo, entra na formação de outras palavras: *autoestrada*, *autoescola*.

1. Emprega-se hífen nas palavras derivadas por prefixação e nas recomposições apenas nestes casos:

		Primeiro elemento	Segundo elemento	Exemplos	Exceção
A	REGRA GERAL	prefixos (**ante**, **anti**, **co**, **contra** etc.)	palavra iniciada por *h*	*anti-higiênico* *neo-helênico*	Não ocorre hífen quando o primeiro elemento for **des** ou **in**: *desumano*.
	REGRA GERAL	falsos prefixos (**aero**, **agro**, **arqui**, **auto**, **bio** etc.)	palavra iniciada pela mesma vogal com que termina o prefixo ou o falso prefixo	*auto-observação* *semi-interno*	O prefixo **co** sempre se aglutina ao segundo elemento: *cooperar*.
A	ESPECIFICAÇÕES	**circum**, **pan**	palavra iniciada por **h**, **vogal**, **m**, **n**	*circum-navegação*	
A	ESPECIFICAÇÕES	**hiper**, **inter**, **super**	palavra iniciada por **r**	*hiper-requintado*	
A	ESPECIFICAÇÕES	**ex** (estado anterior, cessamento), **sota**, **soto**[9], **vice**, **vizo**[10]	qualquer que seja	*ex-presidente*	
M	ESPECIFICAÇÕES	**pós**, **pré**, **pró** (tônicos)	palavra com tonicidade própria	*pós-graduação*	As formas átonas aglutinam-se ao segundo elemento: *prever*.

A 2. Não se emprega hífen nas palavras derivadas por prefixação e nas recomposições, de acordo com os seguintes critérios:

Primeiro elemento	Segundo elemento	Exemplos
prefixo ou falso prefixo terminado em vogal: **co**, **micro**, **contra** etc.	palavra iniciada por **r** ou **s** (grafema que será duplicado)	*cosseno* *microssistema* *contrarregra*
	palavra iniciada por vogal diferente daquela em que termina o primeiro elemento	*autoestrada* *antiaéreo* *hidroelétrico*

9. Debaixo, posição inferior.
10. Forma de *vice* no antigo português.

M 3. Nas palavras derivadas por sufixação, só ocorrerá hífen se forem observados os seguintes critérios:

Primeiro elemento	Segundo elemento	Exemplo
palavra terminada em vogal acentuada graficamente ou quando a pronúncia exigir	**açu**, **guaçu**, **mirim** (sufixos de valor adjetivo e de origem tupi-guarani)	*Ceará-Mirim*

Obs.: Não deixe de ver também o capítulo IV deste livro, "Chave prática do uso do hífen", (página 129), que esclarece e sugere soluções para problemas aqui não tratados.

Base XVII

Do hífen na ênclise, na tmese e com o verbo *haver*

ênclise:
incorporação, na pronúncia, de um vocábulo átono ao que o antecede, subordinando-se o átono ao acento tônico do outro. Exemplo: *peguei-o, há de*.

tmese ou **mesóclise:**
colocação do pronome oblíquo átono entre o radical e a desinência das formas verbais do futuro do presente e do futuro do pretérito. Exemplo: *amá-la-ia*.

1. Emprega-se o hífen:

M a) Na ênclise e na mesóclise: *adorá-lo*, *enviar-lhe-emos*.

M b) Com os verbos **querer** e **requerer** o uso consagrou **quere-o**(**s**), **requere-o**(**s**), deixando de lado as formas **qué-lo** e **requé-lo** (também corretas).

M c) Recebem hífen as combinações pronominais, quando em próclise (esperamos que **no-lo** comprem), e as formas pronominais enclíticas ao advérbio **eis** (**eis-me**, **ei-lo**).

M 2. Não se emprega hífen para ligar as formas monossilábicas do presente do indicativo do verbo **haver** à preposição **de**: *hei de*.

Base XVIII

Do apóstrofo

1. São os seguintes os casos de emprego de apóstrofo:

N a) Para separar graficamente **contração** ou **aglutinação** de preposições e conjuntos vocabulares distintos: d'*Os Lusíadas*.

contração:
aglutinação de dois vocábulos gramaticais para formar um terceiro. Em português, há dois tipos de contração: de algumas preposições com artigos (*a* + *o* = *ao*; *a* + *a* = *à* etc.); dos pronomes **o**, **os**, **a**, **as** com outros pronomes oblíquos (*me* + *o* = *mo*; *lhe* + *a* = *lha* etc.).

aglutinação:
perda de delimitação vocabular entre duas formas que se reúnem por composição ou derivação e passam a constituir um único vocábulo fonético: *aguardente* (água + ardente).

Também é correto o uso da não contração: de *Os Sertões*.

N b) Para separar graficamente contrações ou aglutinações de preposições ou pronomes de formas pronominais maiúsculas referentes a entidades religiosas (Jesus, Providência). Exemplo: Creio em Deus, confio *n'Ele* (**Ele** referindo-se a Deus).

Pode ocorrer a dissolução gráfica da preposição **a** de formas pronominais maiúsculas e, nesses casos, não se emprega o apóstrofo. Exemplo: Agradeço ***a*** *Aquela* que nos protege (referindo-se à Providência).

N c) Para marcar a elisão das vogais finais **o**, **a** de **santo** e **santa** com os nomes dos mesmos: *Sant'Ana*. Se essas ligações se tornam unidades mórficas, aglutinam-se os dois elementos: ilha de *Santiago* (*santo* + *Tiago*).
Da mesma forma, nos nomes próprios de pessoas, quando se elide um **o** final do primeiro elemento, usa-se o apóstrofo: *Pedr'Álvares*.
Em todos esses casos, são obviamente corretas também as grafias sem o uso do apóstrofo: *Santa Ana*, *Pedro Álvares*.

M d) Para assinalar, no interior de certos compostos, a **elisão** do **e**, da preposição **de**, em combinação com substantivos: *frango-d'água*.

elisão:
modificação fonética decorrente do desaparecimento da vogal final átona diante da inicial vocálica da palavra seguinte.

M 2. Não se usa apóstrofo nas combinações das preposições **de** e **em** com:
- formas do artigo definido: *do*, *da*;
- formas pronominais: *desses*, *daquela*;
- formas adverbiais: *daqui*, *dali*.

Tais combinações podem ser representadas:
a) por uma só forma vocabular, quando constituem, de modo fixo, uniões perfeitas: é o caso das formas citadas anteriormente;

b) por uma ou duas formas vocabulares, quando não constituem, de modo fixo, uniões perfeitas: **de um** (ou *dum*), **de algum** (ou *dalgum*), **de outro** (ou *doutro*). É correto, portanto, **de ora avante** ou **doravante**.

Obs.: Não se emprega o apóstrofo nem se funde a preposição **de** com a forma imediata, escrevendo-se as duas separadamente quando ocorrer:

			Exemplos
de +	o, a, os, as (pronomes / artigos)	**+ infinitivo**	depois *de o* conhecer / em virtude *de o* homem ser mortal
	pronomes / advérbios (começados por vogal)		a fim *de ele* compreender / por causa *de aqui* estares

Base XIX

Das minúsculas e maiúsculas

N 1. Emprega-se letra minúscula inicial:

a) Nos usos correntes de todos os vocábulos da língua.

b) Nos nomes de dias, meses, estações do ano.

c) Nas palavras *fulano*, *sicrano*, *beltrano*.

d) Nos pontos cardeais (mas não em suas abreviaturas).

e) Nos **axiônimos** e **hagiônimos** (neste caso, é facultativo o emprego de maiúscula): *senhor doutor Joaquim da Silva*, *Senhor Doutor Joaquim da Silva*; *santa Filomena*, *Santa Filomena*.

Obs.: Após o primeiro elemento, que é em maiúscula, os demais vocábulos da mesma indicação bibliográfica escrevem-se opcionalmente com minúscula, exceto se forem nomes próprios: *Memórias Póstumas de Brás Cubas* ou *Memórias póstu-*

mas de Brás Cubas; *A ilustre casa de Ramires* ou *A Ilustre Casa de Ramires*. A indicação bibliográfica vem em itálico.

axiônimo:
forma cortês de tratamento ou expressão de reverência: Sr., Dr., Vossa Santidade etc.

hagiônimo:
designação comum aos nomes sagrados e aos nomes próprios referentes a crenças religiosas: Deus, Jeová, Ressurreição etc.

f) Nos nomes próprios que designam domínios do saber, cursos e disciplinas (sendo facultativo o uso de maiúscula): *português* ou *Português*.

M 2. Emprega-se letra maiúscula inicial:

a) Nos antropônimos reais ou fictícios: *Branca de Neve*.

b) Nos topônimos reais ou fictícios: *São Paulo*, *Atlântida*.

c) Nos nomes de seres antropomorfizados[11] ou mitológicos: *Adamastor*, *Odin*.

d) Nos nomes que designam instituições: *Cruz Vermelha*.

e) Nos nomes de festas e festividades: *Natal*.

f) Nos títulos de periódicos, que retêm o itálico: *Folha de S.Paulo*.

g) Nos pontos cardeais ou equivalentes, quando empregados absolutamente: *Nordeste*, por nordeste do Brasil.

h) Em siglas, símbolos ou abreviaturas internacionais ou nacionalmente regulados com maiúsculas não apenas iniciais, mas também mediais ou finais: *ABL* (ou *A.B.L.*), *ONU* (ou *O.N.U.*), *Sr*.

11. Semelhantes ao homem.

i) É **facultativo** o uso de maiúscula inicial em palavras usadas reverencialmente, aulicamente[12] ou hierarquicamente, em início de versos, em categorizadores de logradouros públicos, de templos, de edifícios: rua ou Rua da Liberdade.

Obs.: Obras especializadas podem observar regras próprias para o emprego de maiúsculas e minúsculas, baseando-se em normalizações estabelecidas por entidades científicas ou normalizadoras, reconhecidas internacionalmente.

Base XX

Da divisão silábica

A separação silábica faz-se pela soletração, sem levar em conta os elementos etimológicos que constituem os vocábulos.

Normas particulares:

M 1. Os encontros consonantais perfeitos **bl**, **br**, **cl**, **cr**, **dr**, **fl**, **fr**, **gl**, **gr**, **pl**, **pr**, **tl**, **tr**, **vr** são indivisíveis: *a-bla-ti-vo*, *re-cri-a-ção*. São exceção as palavras em que os encontros consonantais resultam da união de um prefixo terminado em **b** ou **d** e outra consoante: *a**b**-le-ga-ção*, *a**d**-re-nal*, *su**b**-lu-nar*.

M 2. As sucessões de duas consoantes que não constituem grupos e as sucessões de **m** ou **n** (com valor de nasalidade) e uma consoante são divisíveis: *ad-mi-rá-vel*, *am-bi-ção*.

M 3. Sequências de mais de duas consoantes, em que estejam presentes ou não as letras **m** ou **n** com valor de nasalidade, são divididas da seguinte maneira:

a) Se ocorrer **bl**, **br**, **cl**, **cr**, **dr**, **fl**, **fr**, **gl**, **gr**, **pl**, **pr**, **tl**, **tr** ou **vr**, esse grupo separa-se de possível (possíveis) consoante(s) anterior(es): *cam-brai-as*, *ins-cri-ção*.

12. À maneira dos áulicos (cortesãos, palacianos).

b) Se nenhum desses encontros consonantais perfeitos ocorrer, a divisão dá-se sempre antes da última consoante: *abs-ten-ção*, *tungs-tê-nio*.

4. Podem separar-se:

M a) Vogais consecutivas desde que pertençam a ditongos crescentes: *far-má-ci-as*.

M b) Vogais consecutivas desde que não pertençam ao grupo **gu** ou **qu**: *a-ta-ú-de*, *co-o-cu-par*, *sor-tei-o*; mas *a-gua-da*.

M 5. Os grupos **gu** e **qu** nunca se separam da vogal ou ditongo que os seguem: *am-bí-guo*, *quais-quer*.

N 6. Na **translineação** de palavras com hífen, se a partição coincide com o fim de um dos elementos, deve-se repetir o hífen na linha seguinte.

translineação:
ato de passar de uma linha para a outra, na escrita ou na impressão, ficando parte da palavra na linha superior e o resto na de baixo.

Base XXI

Das assinaturas e firmas

Poderá ser mantida a escrita que, por costume ou registro legal, se adote em assinatura do nome, bem como a grafia original de quaisquer firmas comerciais, nomes de sociedades, marcas e títulos que estejam inscritos em registro público.

3. Quadro-resumo

Nas páginas seguintes é apresentada uma sequência de quadros comparativos entre a ortografia ora vigente no Brasil e as alterações propostas pelo Acordo Ortográfico de 1990. Para facilitar a consulta e tornar clara a comparação proposta, optou-se por tratar assunto por assunto, indicando como era, como será, se ocorreu mudança e de que tipo.

Base/Assunto	Antes do Acordo de 1990	Após o Acordo de 1990	Comentário
Base I **Alfabeto**	Formado por vinte e três letras: a, b, c, d, e, f, g, h, i, j, l, m, n, o, p, q, r, s, t, u, v, x, z.	Formado por vinte e seis letras: a, b, c, d, e, f, g, h, i, j, *k*, l, m, n, o, p, q, r, s, t, u, v, *w*, x, *y*, z	**Alterado**
Base IV **Sequências consonânticas**	Nos países de língua portuguesa oficial, não há uma norma única que determina a ortografia das palavras com consoante "muda". *Portugal*: *acção* (*c* não pronunciado) *facto* (*c* pronunciado) *aspecto* (única ortografia, sendo o *c* pronunciado ou não) *Brasil*: *ação* (ortografia que respeita a pronúncia) *aspecto*/*aspeto* (dupla possibilidade de pronúncia e, portanto, dupla grafia)	Nos países de língua portuguesa oficial, a ortografia de palavras com consoantes "mudas" passa a respeitar as diferentes pronúncias cultas da língua, ocasionando um aumento da quantidade de palavras com dupla grafia. *Países de língua portuguesa oficial*: *fato* e *facto* (dupla pronúncia e dupla grafia) *ação* (única pronúncia e única grafia) *aspecto* e *aspeto* (dupla pronúncia e dupla grafia)	**Dupla Grafia**
Base V **Vogais átonas**	Os substantivos variantes de outros substantivos terminados em vogal apresentam terminação *-ea* e/ou *-ia*. *hástea* ou *hástia*, de *haste* *véstia*, de *veste*	Os substantivos variantes de outros substantivos terminados em vogal apresentam terminação uniformizada em *-ia* e *-io*. *hástia*, de *haste* *véstia*, de *veste*	**Novo**
	Alguns verbos terminados em *-iar* admitem variantes na conjugação. premiar – *premio* ou *premeio* negociar – *negocio* ou *negoceio*	Alguns verbos terminados em *-iar* admitem variantes na conjugação. premiar – *premio* ou *premeio* negociar – *negocio* ou *negoceio*	**Dupla Grafia**

Base/Assunto	Antes do Acordo de 1990	Após o Acordo de 1990	Comentário
Base VIII **Acentuação gráfica** **Oxítonas**	São assinaladas com acento agudo as palavras oxítonas que terminam nas vogais tônicas abertas *a*, *e*, *o*, e com acento circunflexo as que acabam nas vogais tônicas *e*, *o*, seguidas ou não de *s*: *fubá* *mercês* *bobó* *cafés* *babalaô*	*Obs.*: As regras de acentuação dos monossílabos tônicos são as mesmas das oxítonas. São assinaladas com acento agudo as palavras oxítonas que terminam nas vogais tônicas abertas *a*, *e*, *o*, e com acento circunflexo as que acabam nas vogais tônicas fechadas *e*, *o*, seguidas ou não de *s*: *fubá* *mercês* *bobó* *cafés* *babalaô*	Mantido
	Obs.: O emprego do acento agudo ou circunflexo nas vogais tônicas *e*, *o* depende, em geral, da pronúncia culta nos diferentes países ou regiões de língua oficial portuguesa: *matinê* *matiné* *cocô* *cocó*	*Obs.*: As palavras oxítonas cuja vogal tônica, nas pronúncias cultas da língua, possui variantes (*ê*, *é*, *ó*, *ô*) admitem dupla grafia: *matinê* ou *matiné* *cocô* ou *cocó*	**Dupla Grafia**
	São assinaladas com acento gráfico as formas verbais que se tornam oxítonas terminadas em *a*, *e*, *o*, em virtude da conjugação com os pronomes *lo*(*s*), *la*(*s*): *dá-la* *sabê-lo* *amá-la-ás* *dispô-los*	São assinaladas com acento gráfico as formas verbais que se tornam oxítonas terminadas em *a*, *e*, *o*, em virtude da conjugação com os pronomes *lo*(*s*), *la*(*s*): *dá-la* *sabê-lo* *amá-la-ás* *dispô-los*	Mantido
	É assinalado com acento agudo o *e* das terminações *em*, *ens* das palavras oxítonas com mais de uma sílaba (exceto as formas da 3ª pessoa do plural do presente do indicativo dos verbos *ter*, *vir* e seus derivados, que são marcadas com acento circunflexo): *também* (eles) *contêm* *parabéns* (elas) *vêm*	É assinalado com acento agudo o *e* das terminações *em*, *ens* das palavras oxítonas com mais de uma sílaba (exceto as formas da 3ª pessoa do plural do presente do indicativo dos verbos *ter*, *vir* e seus derivados, que são marcadas com acento circunflexo): *também* (eles) *contêm* *parabéns* (elas) *vêm*	Mantido

Base/ Assunto	Antes do Acordo de 1990	Após o Acordo de 1990	Comentário
Base IX **Paroxítonas**	São assinalados com acento agudo os ditongos tônicos *éi*, *éu*, *ói*: ***fiéis*** ***réu*** ***heróis***	São assinalados com acento agudo os ditongos tônicos *éi*, *éu*, *ói*, sendo os dois últimos seguidos ou não de *s*: ***fiéis*** ***réus*** ***heróis***	Mantido
	Não se usa acento gráfico para distinguir oxítonas homógrafas: ***colher*** *(verbo)* ***colher*** *(substantivo)* *Exceção:* ***pôr*** *(verbo)* ***por*** *(preposição)*	Não se usa acento gráfico para distinguir oxítonas homógrafas: ***colher*** (verbo) ***colher*** (substantivo) *Exceção:* ***pôr*** (verbo) ***por*** (preposição)	Mantido
	São assinaladas com acento gráfico as paroxítonas terminadas em: a) *l*, *n*, *r*, *x*, *ps*: ***lavável*** ***açúcar*** ***bíceps*** ***plâncton*** ***ônix*** *Exceção:* Não são acentuadas graficamente as paroxítonas terminadas em *ens*: ***hifens***, ***liquens*** b) *ã(s)*, *ão(s)*, *ei(s)*, *i(s)*, *um*, *uns*, *us*: ***órfã*** ***fórum*** ***bílis*** ***órfão*** ***álbuns*** ***jóqueis*** ***vírus***	São assinaladas com acento gráfico as paroxítonas terminadas em: a) *l*, *n*, *r*, *x*, *ps* (e seus plurais, alguns dos quais passam a proparoxítonas): ***lavável*** ***açúcar*** ***bíceps*** ***plânctons*** ***ônix*** *Exceção:* Não são acentuadas graficamente as paroxítonas terminadas em *ens*: ***hifens***, ***liquens*** b) *ã(s)*, *ão(s)*, *ei(s)*, *i(s)*, *um*, *uns*, *us*: ***órfã(s)*** ***fórum*** ***bílis*** ***sótão(s)*** ***álbuns*** ***jóquei(s)*** ***vírus***	Mantido
	O acento será agudo se na sílaba tônica houver as vogais abertas *a*, *e*, *o* ou ainda *i*, *u* e será circunflexo se houver as vogais fechadas *a*, *e*, *o*. *Obs.*: O emprego do acento agudo ou circunflexo nas vogais tônicas *e*, *o* depende, em geral, da pronúncia culta nos diferentes países de língua oficial portuguesa: ***fêmur*** (Brasil) ***fémur*** (Portugal) ***ônix*** (Brasil) ***ónix*** (Portugal) ***pônei*** (Brasil) ***pónei*** (Portugal) ***Vênus*** (Brasil) ***Vénus*** (Portugal)	O acento será agudo se na sílaba tônica houver as vogais abertas *a*, *e*, *o*, ou ainda *i*, *u* e será circunflexo se houver as vogais fechadas *a*, *e*, *o*. *Obs.*: As palavras paroxítonas cuja vogal tônica, nas pronúncias cultas da língua, possui variantes (*ê*, *é*, *ô*, *ó*) admitem dupla grafia: ***fêmur*** ou ***fémur*** ***ônix*** ou ***ónix*** ***pônei*** ou ***pónei*** ***Vênus*** ou ***Vénus***	**Dupla Grafia**

Base/ Assunto	Antes do Acordo de 1990	Após o Acordo de 1990	Comentário
Base IX **Paroxítonas**	São assinalados com acento agudo os ditongos abertos tônicos *éi*, *ói* de palavras paroxítonas: ***estréia*** ***paranóico*** ***idéia*** ***jibóia***	Não são assinalados com acento gráfico os ditongos *ei* e *oi* de palavras paroxítonas: ***estreia*** ***paranoico*** ***ideia*** ***jiboia***	**Alterado**
	São assinaladas com acento circunflexo as formas verbais ***crêem***, ***dêem***, ***lêem***, ***vêem*** e seus derivados: ***descrêem***, ***desdêem***, ***relêem***, ***revêem*** etc.	Não são assinaladas com acento gráfico as formas verbais ***creem***, ***deem***, ***leem***, ***veem*** e seus derivados: ***descreem***, ***desdeem***, ***releem***, ***reveem*** etc.	**Alterado**
	É assinalado com acento circunflexo o penúltimo *o* do hiato *oo*(*s*): ***vôo*** ***enjôos***	Não é assinalado com acento gráfico o penúltimo *o* do hiato *oo*(*s*): ***voo*** ***enjoos***	**Alterado**
	São assinaladas com acento gráfico as palavras homógrafas: ***pára*** (verbo) ***para*** (prep.) ***péla(s)*** (subst.) ***péla*** (verbo) ***pela(s)*** (per+la(s)) ***pêlo(s)*** (subst.) ***pélo*** (verbo) ***pelo(s)*** (per+lo(s)) ***pólo(s)*** (subst.) ***polo(s)*** (por+lo(s)) ***pôde*** (verbo perf. ind.) ***pode*** (verbo pres. ind.)	Não são assinaladas com acento gráfico as palavras homógrafas: ***para*** (verbo) ***para*** (prep.) ***pela(s)*** (subst.) ***pela*** (verbo) ***pela(s)*** (per+la(s)) ***pelo(s)*** (subst.) ***pelo*** (verbo) ***pelo(s)*** (per+lo(s)) ***polo(s)*** (subst.) ***polo(s)*** (por+lo(s)) *Exceção:* ***pôde*** (3ª pess. sing. pret. ind.), ***pode*** (3ª pess. sing. pres. indicativo)	**Alterado** Mantido
		Obs.1: *Facultativamente*, assinalam-se com acento circunflexo: ***dêmos*** (1ª pess. pl. pres. do subjuntivo), ***demos*** (1ª pess. pl. pret. perf. indicativo); ***fôrma*** (subst.), ***forma*** (subst.; verbo)	**Dupla Grafia**
		Obs.2: *Facultativamente*, assinalam-se com acento agudo as formas verbais do tipo: ***amámos*** (pret. perf. ind.) ***amamos*** (pres. ind.) ***louvámos*** (pret. perf. ind.) ***louvamos*** (pres. ind.)	**Dupla Grafia**

Base/ Assunto	Antes do Acordo de 1990	Após o Acordo de 1990	Comentário
Base X **Oxítonas e Paroxítonas**	São assinaladas com acento agudo as vogais tônicas *i* e *u* das palavras oxítonas e paroxítonas que constituem o 2º elemento de um hiato e não são seguidas de *l*, *m*, *n*, *nh*, *r*, *z*: ***país*** ***ruins*** ***atraí-la*** ***saúde*** ***rainha*** ***possuí-lo-ás***	São assinaladas com acento agudo as vogais tônicas *i* e *u* das palavras oxítonas e paroxítonas que constituem o 2º elemento de um hiato e não são seguidas de *l*, *m*, *n*, *nh*, *r*, *z*: ***país*** ***ruins*** ***saúde*** ***rainha***	Mantido
		Obs.1: Incluem-se nessa regra as formas oxítonas dos verbos em *air* e *uir* em virtude de sua conjugação com os pronomes *lo*(*s*), *la*(*s*): ***atraí-las*** ***possuí-lo-ás***	Mantido
		Obs.2: Não são assinaladas com acento gráfico as palavras paroxítonas cujas vogais tônicas *i* e *u* são precedidas de ditongo decrescente: ***baiuca*** ***boiuna*** ***feiura***	**Alterado**
		Obs.3: São assinaladas com acento agudo as palavras oxítonas cujas vogais tônicas *i* e *u* são precedidas de ditongo: ***Piauí*** ***tuiuiús***	Mantido
	Obs.: Não são assinalados com acento agudo os ditongos tônicos *iu*, *ui* precedidos de vogal: ***distraiu*** ***pauis***	*Obs.4*: Não são assinalados com acento agudo os ditongos tônicos *iu*, *ui* precedidos de vogal: ***distraiu*** ***pauis***	Mantido
	É assinalado com acento agudo o *u* tônico de *gue*, *gui*, *que*, *qui*: ***argúis*** ***argúi***	Não se assinala com acento agudo o *u* tônico de formas rizotônicas de *arguir* e *redarguir*: ***arguis*** ***argui*** ***redarguam***	**Alterado**
	Obs.1: Verbos como *aguar* (ou derivados), *delinquir* às vezes possuem duplo paradigma, dependendo do fato de os gramáticos aceitarem ou não a pronúncia popular: AGUAR: o rio deságua o rio desagua /gú/ (forma culta) DELINQUIR: tu delinques	*Obs.1*: Verbos como *aguar*, *apaziguar*, *apropinquar*, *delinquir* possuem dois paradigmas: a) com o *u* tônico em formas rizotônicas sem acento gráfico: ***averiguo***, ***ague*** b) com o *a* ou o *i* dos radicais tônicos acentuados graficamente: ***averíguo***, ***águe***	**Dupla Grafia**
	Obs.2: Verbos terminados em *-inguir* cujo *u* não é pronunciado e em *-ingir* possuem grafias regulares: ***atingir*** ***distinguir*** ***atinjo*** ***distingo***	*Obs.2*: Verbos terminados em *-ingir* e *-inguir* cujo *u* não é pronunciado possuem grafias regulares: ***atingir*** ***distinguir*** ***atinjo*** ***distinguimos***	Mantido

Base/ Assunto	Antes do Acordo de 1990	Após o Acordo de 1990	Comentário
Base XI **Proparoxítonas**	São assinaladas com acento gráfico todas as palavras proparoxítonas: ***rápido*** ***cênico*** ***místico*** ***meândrico***	São assinaladas com acento gráfico todas as palavras proparoxítonas: ***rápido*** ***cênico*** ***místico*** ***meândrico***	Mantido
	Incluem-se nesta regra as proparoxítonas aparentes (aquelas que terminam em ditongo crescente) ***série*** ***amêndoa*** ***glória*** ***argênteo***	Incluem-se nesta regra as proparoxítonas aparentes (aquelas que terminam em ditongo crescente): ***série*** ***amêndoa*** ***glória*** ***argênteo***	Mantido
	Obs.: O emprego do acento agudo ou circunflexo nas vogais tônicas *e*, *o* depende, em geral, da pronúncia culta nos diferentes países de língua oficial portuguesa: ***cômodo*** (Brasil) ***cómodo*** (Portugal) ***gênio*** (Brasil) ***génio*** (Portugal)	*Obs.*: As palavras proparoxítonas, reais ou aparentes, cuja vogal tônica, nas pronúncias cultas da língua, admite variantes (*ê*, *é*, *ô*, *ó*) e, portanto, dupla grafia: ***cômodo*** ou ***cómodo*** ***gênio*** ou ***génio***	**Dupla Grafia**
Base XIV **Trema**	Assinala-se com trema o *u* dos grupos *gue*, *gui*, *que*, *qui* quando for átono e pronunciado: ***delinqüir*** ***cinqüenta*** ***tranqüilo***	O trema é totalmente eliminado das palavras portuguesas ou aportuguesadas: ***delinquir*** ***cinquenta*** ***tranquilo***	**Alterado**
		Obs.: É usado em palavras derivadas de nomes próprios estrangeiros com trema: ***mülleriano***, de *Müller*	Mantido

Base/ Assunto	Antes do Acordo de 1990	Após o Acordo de 1990	Comentário
Base XV **Hífen**	Em compostos, locuções e encadeamentos vocabulares: a) Emprega-se o hífen em compostos em que a noção de combinação é clara: ***guarda-noturno*** ***guarda-chuva*** ***pára-quedas*** ***manda-chuva***	a) Em compostos, locuções e encadeamentos vocabulares emprega-se o hífen.	Mantido
		Obs.: São escritas aglutinadamente palavras em que o falante contemporâneo perdeu a noção de composição: ***paraquedas*** ***mandachuva***	**Alterado**
	b) Nenhuma regra trata especificamente do uso do hífen em topônimos.	b) Emprega-se o hífen nos seguintes topônimos: • iniciados por *grã* e *grão*: ***Grão-Pará*** • iniciados por verbo: ***Passa-Quatro*** • cujos elementos estejam ligados por artigo: ***Baía de Todos-os-Santos*** *Obs.*: Os demais topônimos compostos são escritos separados e sem hífen: ***Cabo Verde*** Exceções: ***Guiné-Bissau*** e ***Timor-Leste***	**Novo**
	c) Nenhuma regra trata especificamente do uso do hífen em palavras que designem espécies botânicas e zoológicas.	c) Emprega-se o hífen em palavras compostas que designam espécies botânicas e zoológicas: ***couve-flor*** ***bem-te-vi***	**Novo**
	d) Emprega-se o travessão para ligar duas ou mais palavras que ocasionalmente se combinam, formando encadeamentos vocabulares: ***ponte Rio–Niterói***.	d) Emprega-se o hífen para ligar duas ou mais palavras que ocasionalmente se combinam, formando encadeamentos vocabulares: ***ponte Rio-Niterói***	**Alterado**
Base XVI **Hífen**	Nas formações por prefixação, recomposição e sufixação é obrigatório o uso do hífen nos seguintes casos:	Uso do hífen nas formações por prefixação, recomposição e sufixação: **Uma vez que o assunto deste item foi totalmente reorganizado, inviabilizando possíveis comparações, optou-se por apresentá-lo integralmente.*	

Antes do Acordo de 1990

	Primeiro elemento	Segundo elemento	Exemplos	Observação
PREFIXAÇÃO	**auto**, **contra**, **extra**, **infra**, **intra**, **neo**, **proto**, **pseudo**, **semi**, **supra**, **ultra**	palavra iniciada por **vogal**, **h**, **r** ou **s**	*auto-retrato*, *contra-almirante*, *infra-estrutura*, *neo-realismo*, *pseudo-autor*, *semi-intensivo*, *ultra-som*, *extra-humano*	Exceção: *extraordinário*
	ante, **anti**, **arqui**, **sobre**	palavra iniciada por **h**, **r** ou **s**	*ante-sala*, *anti-higiênico*, *sobre-humano*, *arqui-romântico*	Exceções: *sobressair*, *sobressalente*, *sobressalto*, *sobressaltar*
	hiper, **super**, **inter**	palavra iniciada por **h** ou **r**	*hiper-realismo*, *super-homem*	
	ab, **ad**, **ob**, **sob**, **sub**	palavra iniciada por **r**	*sub-reino*	
	circum, **mal**, **pan**	palavra iniciada por **vogal** ou **h**	*mal-humorado*, *pan-americano*, *circum-adjacente*	
	bem, **co**	palavra que tem vida autônoma na língua ou quando a pronúncia o requer	*bem-aventurança*, *bem-ditoso*, *co-autor*, *co-edição*	Não ocorre hífen quando já se perdeu a noção de prefixação: *benfeitor*, *bendito*, *benquisto*, *cooperar*, *coordenar*
	além, **aquém**, **recém**	qualquer que seja	*além-mar*, *recém-formado*, *recém-nascido*	
	pós, **pré**, **pró** (tônicos)	qualquer que seja	*pós-moderno*, *pré-escolar*, *pró-britânico*	**pós**, **pré**, **pró** (átonos): *pospor*, *preanunciar*, *prefixo*
	sem, **sota**, **soto**, **vice**, **vizo**, **ex** (cessamento ou estado anterior)	qualquer que seja	*sem-cerimônia*, *vice-reitor*, *ex-diretor*	
COMPOSIÇÃO	adjetivos (em forma reduzida ou não)	adjetivo	*greco-romano*, *euro-americano*, *luso-brasileiro*	
SUFIXAÇÃO	palavra terminada por vogal acentuada graficamente ou quando a pronúncia exigir	sufixos: **açu**, **guaçu**, **mirim**	*mutum-açu*, *amoré-guaçu*, *tuiú-mirim*, *açaí-mirim*, *araça-guaçu*	Palavras como *tujumirim*, *mogiguaçu*, *nambuguaçu*, *cupuaçu* etc. não se encaixam nessa regra e por isso são escritas sem hífen

Após o Acordo de 1990

	Primeiro elemento	Segundo elemento	Exemplos	Exceção	Comentário
REGRA GERAL	prefixos (**ante**, **anti**, **co**, **contra** etc.)	palavra iniciada por **h**	*anti-higiênico*, *neo-helênico*	Não ocorre hífen quando o 1º elemento for **des** ou **in**: *desumano*	Alterado
	falsos prefixos (**aero**, **agro**, **arqui**, **auto**, **bio** etc.)	palavra iniciada pela mesma vogal com que termina o prefixo ou o falso prefixo	*semi-interno*, *auto-observação*	O prefixo **co** sempre se aglutina ao 2º elemento: *cooperar*	Alterado
ESPECIFICAÇÕES	**circum**, **pan**	palavra iniciada por **vogal**, **h**, **m** ou **n**	*circum-navegação*		Alterado
	hiper, **inter**, **super**	palavra iniciada por **h** ou **r**	*hiper-requintado*		Alterado
	ex (estado anterior, cessamento), **sota**, **soto**, **vice**, **vizo**	qualquer que seja	*ex-presidente*		Alterado
	pós, **pré**, **pró** (tônicos)	palavra com tonicidade própria	*pós-graduação*	As formas átonas aglutinam-se ao 2º elemento: *prever*	Mantido
SEM HÍFEN	prefixo ou falso prefixo terminado em vogal	palavra iniciada por **r** ou **s** (consoante que será duplicada)	*cosseno*, *microssistema*, *contrarregra*		Alterado
		palavra iniciada por vogal diferente daquela em que termina o primeiro elemento	*antiaéreo*, *hidroelétrico*		Alterado
SUFIXAÇÃO	palavra terminada em vogal acentuada graficamente ou quando a pronúncia o exigir	**açu**, **guaçu** e **mirim** (sufixos de valor adjetivo e de origem tupi-guarani)	*Ceará-Mirim*		Mantido

4. Texto integral do Acordo

CONGRESSO NACIONAL

Faço saber que o Congresso Nacional aprovou, e eu, José Sarney, Presidente do Senado Federal, nos termos do art. 48, item 28, do Regime Interno, promulgo o seguinte

DECRETO LEGISLATIVO Nº 54, DE 1995

Aprova o texto do Acordo Ortográfico da Língua Portuguesa, assinado em Lisboa, em 16 de dezembro de 1990.

O Congresso Nacional decreta:
Art. 1º É aprovado o texto do Acordo Ortográfico da Língua Portuguesa, assinado em Lisboa, em 16 de dezembro de 1990.
Parágrafo único. São sujeitos à apreciação do Congresso Nacional quaisquer atos que impliquem revisão do referido Acordo, bem como quaisquer atos que, nos termos do art. 49, I, da Constituição Federal, acarretem encargos ou compromissos gravosos ao patrimônio nacional.
Art. 2º Este Decreto Legislativo entra em vigor na data de sua publicação.

Senado Federal, 18 de abril de 1995. - Senador José Sarney, Presidente.

ACORDO ORTOGRÁFICO DA LÍNGUA PORTUGUESA

Lisboa, 14, 15 e 16 de Dezembro de 1990

Considerando que o projecto de texto de ortografia unificada de língua portuguesa aprovado em Lisboa, em 12 de outubro de 1990, pela Academia das Ciências de Lisboa, Academia Brasileira de Letras e delegações de Angola, Cabo Verde, Guiné-Bissau, Moçambique e São Tomé e Príncipe, com a adesão da delegação de observadores da Galiza, constitui um passo importante para a defesa da unidade essencial da língua portuguesa e para o seu prestígio internacional,

Considerando que o texto do acordo que ora se aprova resulta de um aprofundado debate nos Países signatários,

a República Popular de Angola,
a República Federativa do Brasil,
a República de Cabo Verde,
a República da Guiné-Bissau,
a República de Moçambique,
a República Portuguesa,
a República Democrática de São Tomé e Príncipe,

acordam no seguinte:

Artigo 1º -É aprovado o Acordo Ortográfico da Língua Portuguesa, que consta como anexo I ao presente instrumento de aprovação, sob a designação de Acordo Ortográfico da Língua Portuguesa (1990) e vai acompanhado da respectiva, nota explicativa, que consta como anexo II ao mesmo instrumento de aprovação, sob a designação de Nota Explicativa do Acordo Ortográfico da Língua Portuguesa (1990).

Artigo 2º Os Estados signatários tomarão, através das instituições e órgãos competentes, as providências necessárias com vista à elaboração, até 1º de janeiro de 1993, de um vocabulário ortográfico comum da língua portuguesa, tão completo quanto desejável e tão normalizador quanto possível, no que se refere às terminologias científicas e técnicas.

Artigo 3º O Acordo Ortográfico da Língua Portuguesa entrará em vigor em 1º de janeiro de 1994, após depositados os instrumentos de ratificação de todos os Estados junto do Governo da República Portuguesa.

Artigo 4º Os Estados signatários adoptarão as medidas que entenderem adequadas ao efectivo respeito da data da entrada em vigor estabelecida no artigo 3º.

Em fé do que, os abaixo-assinados, devidamente credenciados para o efeito, aprovam o presente acordo, redigido em língua portuguesa, em sete exemplares, todos igualmente autênticos.

Assinado em Lisboa, em 16 de dezembro de 1990.

Pela República Popular de Angola,
José Mateus de Adelino Peixoto,
Secretário de Estado da Cultura

Pela República Federativa do Brasil,
Carlos Alberto Gomes Chiarelli,
Ministro da Educação

Pela República de Cabo Verde,
David Hopffer Almada,
Ministro da Informação, Cultura e Desportos

Pela República da Guiné-Bissau,
Alexandre Brito Ribeiro Furtado,
Secretário de Estado da Cultura

Pela República de Moçambique,
Luis Bernardo Honwana,
Ministro da Cultura

Pela República Portuguesa,
Pedro Miguel de Santana Lopes,
Secretário de Estado da Cultura

Pela República Democrática de São Tomé e Príncipe,
Lígia Silva Graça do Espírito Santo Costa,
Ministra da Educação e Cultura

ANEXO I

ACORDO ORTOGRÁFICO DA LÍNGUA PORTUGUESA (1990)

Base I

Do alfabeto e dos nomes próprios estrangeiros e seus derivados

1º) O alfabeto da língua portuguesa é formado por vinte e seis letras, cada uma delas com uma forma minúscula e outra maiúscula:

a	A	(á)	j	J	(jota)	s	S	(esse)
b	B	(bê)	k	K	(capa ou cá)	t	T	(tê)
c	C	(cê)	l	L	(ele)	u	U	(u)
d	D	(dê)	m	M	(eme)	v	V	(vê)
e	E	(é)	n	N	(ene)	w	W	(dáblio)
f	F	(efe)	o	O	(ó)	x	X	(xis)
g	G	(gê ou guê)	p	P	(pê)	y	Y	(ípsilon)
h	H	(agá)	q	Q	(quê)	z	Z	(zê)
i	I	(i)	r	R	(erre)			

Obs.: 1. Além destas letras, usam-se o *ç* (cê cedilhado) e os seguintes dígrafos: *rr* (erre duplo), *ss* (esse duplo), *ch* (cê-agá), *lh* (ele-agá), *nh* (ene-agá), *gu* (guê-u) e *qu* (quê-u).

2. Os nomes das letras acima sugeridos não excluem outras formas de as designar.

2º) As letras *k*, *w* e *y* usam-se nos seguintes casos especiais:

a) Em antropônimos, antropônimos originários de outras línguas e seus derivados: *Franklin*, *frankliniano*; *Kant*, *kantismo*; *Darwin*, *darwinismo*; *Wagner*, *wagneriano*; *Byron*, *byroniano*; *Taylor*, *taylorista*;

b) Em topônimos, topônimos originários de outras línguas e seus derivados: *Kuanza, Kuwait, kuwaitiano*; *Malawi, malawiano*;

c) Em siglas, símbolos e mesmo em palavras adotadas como unidades de medida de curso internacional: *TWA, KLM*; *K – potássio* (de *kalium*); *W – oeste* (*West*); *kg – quilograma*; *km – quilômetro*; *kW – kilowatt*; *yd – jarda* (*yard*); *Watt*.

3º) Em congruência com o número anterior, mantêm-se nos vocábulos derivados eruditamente de nomes próprios estrangeiros quaisquer combinações gráficas ou sinais diacríticos não peculiares à nossa escrita que figurem nesses nomes: *comtista*, de *Comte*; *garrettiano*, de *Garrett*; *jeffersónia/jeffersônia*, de *Jefferson*; *mülleriano*, de *Müller*; *shakespeariano*, de *Shakespeare*.

Os vocabulários autorizados registrarão grafias alternativas admissíveis, em casos de divulgação de certas palavras de tal tipo de origem (a exemplo de *fúcsia/fúchsia* e derivados, *buganvília/buganvílea/bougainvíllea*).

4º) Os dígrafos finais de origem hebraica *ch*, *ph* e *th* podem conservar-se em formas onomásticas da tradição bíblica, como *Baruch*, *Loth*, *Moloch*, *Ziph*, ou então simplificar-se: *Baruc*, *Lot*, *Moloc*, *Zif*. Se qualquer um destes dígrafos, em formas do mesmo tipo, é invariavelmente mudo, elimina-se: José, Nazaré, em vez de *Joseph*, *Nazareth*; e se algum deles, por força do uso, permite adaptação, substitui-se, recebendo uma adição vocálica: *Judite*, em vez de *Judith*.

5º) As consoantes finais grafadas *b*, *c*, *d*, *g* e *t* mantêm-se, quer sejam mudas, quer proferidas, nas formas onomásticas em que o uso as consagrou, nomeadamente antropónimos/antropônimos e topónimos/topônimos da tradição bíblica: *Jacob*, *Job*, *Moab*, *Isaac*; *David*, *Gad*; *Gog*, *Magog*; *Bensabat*, *Josafat*.

Integram-se também nesta forma: *Cid*, em que o *d* é sempre pronunciado; *Madrid* e *Valhadolid*, em que o *d* ora é pronunciado, ora não; e *Calecut* ou *Calicut*, em que o *t* se encontra nas mesmas condições.

Nada impede, entretanto, que dos antopónimos/antropônimos em apreço sejam usados sem a consoante final: *Jó*, *Davi* e *Jacó*.

6º) Recomenda-se que os topónimos/topônimos de línguas estrangeiras se substituam, tanto quanto possível, por formas vernáculas, quando estas sejam antigas e ainda vivas em português ou quando entrem, ou possam entrar, no uso corrente. Exemplo: *Anvers*, substituído por *Antuérpia*; *Cherbourg*, por *Cherburgo*; *Garonne*, por *Garona*; *Genève*, por *Genebra*; *Jutland*, por *Jutlândia*; *Milano*, por *Milão*; *München*, por *Munique*; *Torino*, por *Turim*; *Zürich*, por *Zurique* etc.

Base II

Do *h* inicial e final

1º) O *h* inicial emprega-se:

a) Por força da etimologia: *haver*, *hélice*, *hera*, *hoje*, *hora*, *homem*.

b) Em virtude de adoção convencional: *hã?*, *hem?*, *hum!*.

2º) O *h* inicial suprime-se:

a) Quando, apesar da etimologia, a sua supressão está inteiramente consagrada pelo uso: *erva*, em vez de *herva*; e, portanto, *ervaçal*, *ervanário*, *ervoso* (em contraste com *herbáceo*, *herbanário*, *herboso*, formas de origem erudita);

b) Quando, por via de composição, passa a interior e o elemento em que figura se aglutina ao precedente: *biebdomadário*, *desarmonia*, *desumano*, *exaurir*, *inábil*, *lobisomem*, *reabilitar*, *reaver*;

3º) O *h* inicial mantém-se, no entanto, quando, numa palavra composta, pertence a um elemento que está ligado ao anterior por meio de hífen: *anti-higiénico/anti-higiênico, contra-haste, pré-história, sobre-humano.*

4º) O *h* final emprega-se em interjeições: *ah!, oh!*

Base III

Da homofonia de certos grafemas consonânticos

Dada a homofonia existente entre certos grafemas consonânticos, torna-se necessário diferençar os seus empregos, que fundamentalmente se regulam pela história das palavras. É certo que a variedade das condições em que se fixam na escrita os grafemas consonânticos homófonos nem sempre permite fácil diferenciação dos casos em que se deve empregar uma letra e daqueles em que, diversamente, se deve empregar outra, ou outras, a representar o mesmo som.

Nesta conformidade, importa notar, principalmente, os seguintes casos:

1º) Distinção gráfica entre *ch* e *x*: *achar, archote, bucha, capacho, capucho, chamar, chave, Chico, chiste, chorar, colchão, colchete, endecha, estrebucha, facho, ficha, flecha, frincha, gancho, inchar, macho, mancha, murchar, nicho, pachorra, pecha, pechincha, penacho, rachar, sachar, tacho; ameixa, anexim, baixel, baixo, bexiga, bruxa, coaxar, coxia, debuxo, deixar, eixo, elixir, enxofre, faixa, feixe, madeixa, mexer, oxalá, praxe, puxar, rouxinol, vexar, xadrez, xarope, xenofobia, xerife, xícara.*

2º) Distinção gráfica entre *g*, com valor de fricativa palatal, e *j*: *adágio, alfageme, Álgebra, algema, algeroz, Algés, algibebe, algibeira, álgido, almargem, Alvorge, Argel, estrangeiro, falange, ferrugem, frigir, gelosia, gengiva, gergelim, geringonça, Gibraltar, ginete, ginja, girafa, gíria, herege, relógio, sege, Tânger, virgem; adjetivo, ajeitar, ajeru* (nome de planta indiana e de uma espécie de papagaio), *canjerê, canjica, enjeitar, granjear, hoje, intrujice, jecoral, jejum, jeira, jeito, Jeová, jenipapo, jequiri, jequitibá, Jeremias, Jericó, jerimum, Jerônimo, Jesus, jiboia, jiquipanga, jiquiró, jiquitaia, jirau, jiriti, jitirana, laranjeira, lojista, majestade, majestoso, manjerico, manjerona, mucujê, pajé, pegajento, rejeitar, sujeito, trejeito.*

3º) Distinção gráfica entre as letras *s, ss, c, ç* e *x*, que representam sibilantes surdas: *ânsia, ascensão, aspersão, cansar, conversão, esconso, farsa, ganso, imenso, mansão, mansarda, manso, pretensão, remanso, seara, seda, Seia, Sertã, Sernancelhe, serralheiro, Singapura, Sintra, sisa, tarso, terso, valsa; abadessa, acossar, amassar, arremessar, Asseiceira, asseio, atravessar, benesse, Cassilda, codesso* (identicamente *Codessal* ou *Codassal, Codesseda, Codessoso* etc.), *crasso, devassar, dossel, egresso, endossar, escasso, fosso, gesso, molosso, mossa, obsessão, pêssego, possesso, remessa, sossegar; acém, acervo, alicerce, cebola, cereal, Cernache, cetim, Cinfães, Escócia, Macedo, obcecar, percevejo; açafate, açorda, açúcar, almaço, atenção, berço, Buçaco, caçanje, caçula, caraça, dançar, Eça, enguiço, Gonçalves, inserção, linguiça, maçada, Mação, maçar, Moçambique, Monção, muçulmano, murça, negaça, pança, peça, quiçaba, quiçaça, quiçama, quiçamba, Seiça* (grafia que pretere as erróneas/errôneas *Ceiça* e *Ceissa*), *Seiçal, Suíça, terço; auxílio, Maximiliano, Maximino, máximo, próximo, sintaxe.*

4º) Distinção gráfica entre *s* de fim de sílaba (inicial ou interior) e *x* e *i* com idêntico valor fónico/fônico: *adestrar, Calisto, escusar, esdrúxulo, esgotar, esplanada, esplêndido, espontâneo, espremer, esquisito, estender, Estremadura, Estremoz, inesgotável; extensão, explicar, extraordinário, inextricável, inexperto, sextante, têxtil; capazmente, infelizmente, velozmente.* De acordo com esta distinção convém notar dois casos:

a) Em final de sílaba que não seja final de palavra, o *x* = *s* muda para *s* sempre que está precedido de *i* ou *u*: *justapor, justalinear, misto, sistino* (cf. *Capela Sistina*), *Sisto*, em vez de *juxtapor, juxtalinear, mixto, sixtina, Sixto.*

b) Só nos advérbios em *-mente* se admite *z*, com valor idêntico ao de *s*, em final de sílaba seguida de outra consoante (cf. *capazmente* etc.); de contrário, o *s* toma sempre o lugar do *z*: *Biscaia*, e não *Bizcaia.*

5º) Distinção gráfica entre *s* final de palavra e *x* e *z* com idêntico valor fónico/fônico: *aguarrás, aliás, anis, após, atrás, através, Avis, Brás, Dinis, Garcês, gás, Gerês, Inês, íris, Jesus, jus, lápis, Luís, país, português, Queirós, quis, retrós, revés, Tomás, Valdês*; *cálix, Félix, Fénix, flux*; *assaz, arroz, avestruz, dez, diz, fez* (substantivo e forma do verbo *fazer*), *fiz, Forjaz, Galaaz, giz, jaez, matiz, petiz, Queluz, Romariz,* (*Arcos de*) *Valdevez, Vaz.* A propósito, deve observar-se que é inadmissível *z* final equivalente a *s* em palavra não oxítona: *Cádis*, e não *Cádiz.*

6º) Distinção gráfica entre as letras interiores *s, x* e *z*, que representam sibilantes sonoras: *aceso, analisar, anestesia, artesão, asa, asilo, Baltasar, besouro, besuntar, blusa, brasa, brasão, Brasil, brisa,* (*Marco de*) *Canaveses, coliseu, defesa, duquesa, Elisa, empresa, Ermesinde, Esposende, frenesi* ou *frenesim, frisar, guisa, improviso, jusante, liso, lousa, Lousa, Luso* (nome de lugar, homónimo/homônimo de *Luso*, nome mitológico), *Matosinhos, Meneses, narciso, Nisa, obséquio, ousar, pesquisa, portuguesa, presa, raso, represa, Resende, sacerdotisa, Sesimbra, Sousa, surpresa, tisana, transe, trânsito, vaso*; *exalar, exemplo, exibir, exorbitar, exuberante, inexato, inexorável*; *abalizado, alfazema, Arcozelo, autorizar, azar, azedo, azo, azorrague, baliza, bazar, beleza, buzina, búzio, comezinho, deslizar, deslize, Ezequiel, fuzileiro, Galiza, guizo, helenizar, lambuzar, Mouzinho, proeza, sazão, urze, vazar, Veneza, Vizela, Vouzela.*

Base IV

Das sequências consonânticas

1º) O *c*, com valor de oclusiva velar, das sequências interiores *cc* (segundo *c* com valor de sibilante), *cç* e *ct*, e o *p* das sequências interiores *pc* (*c* com valor de sibilante) *pç* e *pt*, ora se conservam, ora se eliminam.

Assim:

a) Conservam-se nos casos em que são invariavelmente proferidos nas pronúncias cultas da língua: *compacto, convicção, convicto, ficção, friccionar, pacto, pictural*; *adepto, apto, díptico, erupção, eucalipto, inepto, núpcias, rapto.*
b) Eliminam-se nos casos em que são invariavelmente mudos nas pronúncias cultas da língua: *ação, acionar, afetivo, aflição, aflito, ato, coleção, coletivo, direção, diretor, exato, objeção*; *adoção, adotar, batizar, Egito, ótimo.*
c) Conservam-se ou eliminam-se, facultativamente, quando se proferem numa pronúncia culta, quer geral, quer restritamente, ou então quando oscilam entre a prolação e o emudecimento: *aspecto* e *aspeto*, *cacto* e *cato*, *caracteres* e *carateres*, *dicção* e *dição*, *facto* e *fato*, *sector* e *setor*; *ceptro* e *cetro*, *concepção* e *conceção*, *corrupto* e *corruto*, *recepção* e *receção.*
d) Quando, nas sequências interiores *mpc*, *mpç* e *mpt*, se eliminar o *p* de acordo com o determinado nos parágrafos precedentes, o *m* passa a *n*, escrevendo-se, respetivamente, *nc*, *nç* e *nt*: *assumpcionista* e *assuncionista*; *assumpção* e *assunção*; *assumptível* e *assuntível*; *peremptório* e *perentório*; *sumptuoso* e *suntuoso*, *sumptuosidade* e *suntuosidade.*

2º) Conservam-se ou eliminam-se, facultativamente, quando se proferem numa pronúncia culta, quer geral, quer restritamente, ou então quando oscilam entre a prolação e o emudecimento: o *b* da sequência *bd*, em *súbdito*; o *b* da sequência *bt*, em *subtil* e seus derivados; o *g* da sequência *gd*, em *amígdala*, *amigdalácea*, *amigdalar*, *amigdalato*, *amigdalite*, *amigdaloide*, *amigdalopatia*, *amigdalotomia*; o *m* da sequência *mn*, em *amnistia*, *amnistiar*, *indemne*, *indemnidade*, *indemnizar*, *omnimodo*, *omnipotente*, *omnisciente* etc.; o *t*, da sequência *tm*, em *aritmética* e *aritmético*.

Base V

Das vogais átonas

1º) O emprego do *e* e do *i*, assim como o do *o* e do *u*, em sílaba átona, regula-se fundamentalmente pela etimologia e por particularidades da história das palavras. Assim se estabelecem variadíssimas grafias:

a) Com *e* e *i*: *ameaça*, *amealhar*, *antecipar*, *arrepiar*, *balnear*, *boreal*, *campeão*, *cardeal* (prelado, ave, planta; diferente de *cardial* = "relativo à cárdia"), *Ceará*, *côdea*, *enseada*, *enteado*, *Floreal*, *janeanes*, *lêndea*, *Leonardo*, *Leonel*, *Leonor*, *Leopoldo*, *Leote*, *linear*, *meão*, *melhor*, *nomear*, *peanha*, *quase* (em vez de *quási*), *real*, *semear*, *semelhante*, *várzea*; *ameixial*, *Ameixieira*, *amial*, *amieiro*, *arrieiro*, *artilharia*, *capitânia*, *cordial* (adjetivo e substantivo), *corriola*, *crânio*, *criar*, *diante*, *diminuir*, *Dinis*, *ferregial*, *Filinto*, *Filipe* (e identicamente *Filipa*, *Filipinas* etc.), *freixial*, *giesta*, *idanha*, *igual*, *imiscuir-se*, *inigualável*, *lampião*, *limiar*, *Lumiar*, *lumieiro*, *pátio*, *pior*, *tigela*, *tijolo*, *Vimieiro*, *Vimioso*;
b) Com *o* e *u*: *abolir*, *Alpendorada*, *assolar*, *borboleta*, *cobiça*, *consoada*, *consoar*, *costume*, *díscolo*, *êmbolo*, *engolir*, *epístola*, *esba-*

forir-se, esbororar, farândola, femoral, Freixoeira, girândola, goela, jocoso, mágoa, névoa, nódoa, óbolo, Páscoa, Pascoal, Pascoela, polir, Rodolfo, távoa, tavoada, távola, tômbola, veio (substantivo e forma do verbo *vir*); *açular, água, aluvião, arcuense, assumir, bulir, camândulas, curtir, curtume, embutir, entupir, fémur/fêmur, fístula, glândula, ínsua, jucundo, légua, Luanda, lucubração, lugar, mangual, Manuel, míngua, Nicarágua, pontual, régua, tábua, tabuada, tabuleta, trégua, vitualha.*

2º) Sendo muito variadas as condições etimológicas histórico-fonéticas em que se fixam graficamente *e* e *i* ou *o* e *u* em sílaba átona, é evidente que só a consulta dos vocabulários ou dicionários pode indicar, muitas vezes, se deve empregar-se *e* ou *i*, se *o* ou *u*. Há, todavia, alguns casos em que o uso dessas vogais pode ser facilmente sistematizado. Convém fixar os seguintes:

a) Escrevem-se com *e*, e não com *i*, antes da sílaba tónica/tônica, os substantivos e adjetivos que procedem de substantivos terminados em *-eio* e *-eia*, ou com eles estão em relação direta. Assim se regulam: *aldeão, aldeola, aldeota* por *aldeia*; *areal, areeiro, areento, arenosa* por *areia*; *aveal* por *aveia*; *baleal* por *baleia*; *cadeado* por *cadeia*; *candeeiro* por *candeia*; *centeeira* e *centeeiro* por *centeio*; *colmeal* e *colmeeiro* por *colmeia*; *correada* e *correame* por *correia*.
b) Escrevem-se igualmente com *e*, antes de vogal ou ditongo da sílaba tónica/tônica, os derivados de palavras que terminam em *e* acentuado (o qual pode representar um antigo hiato: *ea*, *ee*): *galeão, galeota, galeote*, de *galé*; *coreano*, de *Coreia*; *daomeano*, de *Daomé*; *guineense*, de *Guiné*; *poleame* e *poleeiro*, de *polé*.
c) Escrevem-se com *i*, e não com *e*, antes da sílaba tónica/tônica, os adjetivos e substantivos derivados em que entram os sufixos

mistos de formação vernácula *-iano* e *-iense*, os quais são o resultado da combinação dos sufixos *-ano* e *-ense* com um *i* de origem analógica (baseado em palavras onde *-ano* e *-ense* estão precedidos de *i* pertencente ao tema: *horaciano*, *italiano*, *duriense*, *flaviense* etc.): *açoriano*, *acriano* (de *Acre*), *camoniano*, *goisiano* (relativo a *Damião de Góis*), *siniense* (de *Sines*), *sofocliano*, *torriano*, *torriense* (de *Torre(s)*).

d) Uniformizam-se com as terminações *-io* e *-ia* (átonas), em vez de *-eo* e *-ea*, os substantivos que constituem variações, obtidas por ampliação, de outros substantivos terminados em vogal: *cúmio* (popular), de *cume*; *hástia*, de *haste*; *réstia*, do antigo *reste*; *véstia*, de *veste*.

e) Os verbos em *-ear* podem distinguir-se praticamente, grande número de vezes, dos verbos em *-iar*, quer pela formação, quer pela conjugação e formação ao mesmo tempo. Estão no primeiro caso todos os verbos que se prendem a substantivos em *-eio* ou *-eia* (sejam formados em português ou venham já do latim); assim se regulam: *aldear*, por *aldeia*; *alhear*, por *alheio*; *cear*, por *ceia*; *encadear*, por *cadeia*; *pear*, por *peia*; etc. Estão no segundo caso todos os verbos que têm normalmente flexões rizotónicas/rizotônicas em *-eio*, *-eias* etc.: *clarear*, *delinear*, *devanear*, *falsear*, *granjear*, *guerrear*, *hastear*, *nomear*, *semear* etc. Existem, no entanto, verbos em *-iar*, ligados a substantivos com as terminações átonas *-ia* ou *-io*, que admitem variantes na conjugação: *negoceio* ou *negocio* (cf. *negócio*); *premeio* ou *premio* (cf. *prémio/prêmio*); etc.

f) Não é lícito o emprego do *u* final átono em palavras de origem latina. Escreve-se, por isso: *moto*, em vez de *mótu* (por exemplo, na expressão *de moto próprio*); *tribo*, em vez de *tribu*.

g) Os verbos em *-oar* distinguem-se praticamente dos verbos em *-uar* pela sua conjugação nas formas rizotónicas/rizotônicas, que têm sempre *o* na sílaba acentuada: *abençoar* com *o*, como *abençoo*, *abençoas* etc.; *destoar*, com *o*, como *destoo*, *destoas* etc.; mas *acentuar*, com *u*, como *acentuo*, *acentuas* etc.

Base VI

Das vogais nasais

Na representação das vogais nasais devem observar-se os seguintes preceitos:

1º) Quando uma vogal nasal ocorre em fim de palavra, ou em fim de elemento seguido de hífen, representa-se a nasalidade pelo til, se essa vogal é de timbre *a*; por *m*, se possui qualquer outro timbre e termina a palavra; e por *n*, se é de timbre diverso de *a* e está seguida de *s*: *afã*, *grã*, *Grã-Bretanha*, *lã*, *órfã*, *sã-braseiro* (forma dialetal; o mesmo que *são-brasense* = de S. Brás de Alportel); *clarim*, *tom*, *vacum*; *flautins*, *semitons*, *zunzuns*.

2º) Os vocábulos terminados em *-ã* transmitem esta representação do *a* nasal aos advérbios em *-mente* que deles se formem, assim como a derivados em que entrem sufixos iniciados por *z*: *cristãmente*, *irmãmente*, *sãmente*; *lãzudo*, *maçãzita*, *manhãzinha*, *romãzeira*.

Base VII

Dos ditongos

1º) Os ditongos orais, que tanto podem ser tónicos/tônicos como átonos, distribuem-se por dois grupos gráficos principais, conforme o segundo elemento do ditongo é representado por *i* ou *u*: *ai*, *ei*, *éi*, *ui*; *au*, *eu, éu, iu, ou*: *braçais, caixote, deveis, eirado, farnéis* (mas *farneizinhos*), *goivo, goivar, lençóis* (mas *lençoizinhos*), *tafuis, uivar*; *cacau, cacaueiro, deu, endeusar, ilhéu* (mas *ilheuzito*), *mediu, passou, regougar.*

Obs.: Admitem-se, todavia, excepcionalmente, à parte destes dois grupos, os ditongos grafados *ae* (= *âi* ou *ai*) e *ao* (= *âu* ou *au*): o primeiro, representado nos antropónimos/antropônimos *Caetano* e *Caetana*, assim como nos respetivos derivados e compostos (*caetaninha, são-caetano* etc.); o segundo, representado nas combinações da preposição *a* com as formas masculinas do artigo ou pronome demonstrativo *o*, ou seja, *ao* e *aos*.

2º) Cumpre fixar, a propósito dos ditongos orais, os seguintes preceitos particulares:

a) É o ditongo grafado *ui*, e não a sequência vocálica grafada *ue*, que se emprega nas formas de 2ª e 3ª pessoas do singular do presente do indicativo e igualmente na da 2ª pessoa do singular do imperativo dos verbos em *-uir*: *constituis, influi, retribui*. Harmonizam-se, portanto, essas formas com todos os casos de ditongo grafado *ui* de sílaba final ou fim de palavra (*azuis, fui, Guardafui, Rui* etc.); e ficam assim em paralelo gráfico-fonético com as formas de 2ª e 3ª pessoas do singular do presente do indicativo e de 2ª pessoa do singular do imperativo dos verbos em *-air* e em *-oer*: *atrais, cai, sai*; *móis, remói, sói*.
b) É o ditongo grafado *ui* que representa sempre, em palavras de origem latina, a união de um *u* a um *i* átono seguinte. Não divergem, portanto, formas como *fluido* de formas como *gratuito*. E isso não impede que nos derivados de formas daquele tipo as vogais grafadas *u* e *i* se separem: *fluídico, fluidez* (*u-i*).
c) Além dos ditongos orais propriamente ditos, os quais são todos decrescentes, admite-se, como é sabido, a existência de

ditongos crescentes. Podem considerar-se no número deles as sequências vocálicas pós-tónicas/pós-tônicas, tais as que se representam graficamente por *ea*, *eo*, *ia*, *ie*, *io*, *oa*, *ua*, *ue*, *uo*: *áurea*, *áureo*, *calúnia*, *espécie*, *exímio*, *mágoa*, *míngua*, *ténue/tênue*, *tríduo*.

3º) Os ditongos nasais, que na sua maioria tanto podem ser tónicos/tônicos como átonos, pertencem graficamente a dois tipos fundamentais: ditongos representados por vogal com til e semivogal; ditongos representados por uma vogal seguida da consoante nasal *m*. Eis a indicação de uns e outros:

a) Os ditongos representados por vogal com til e semivogal são quatro, considerando-se apenas a língua padrão contemporânea: *ãe* (usado em vocábulos oxítonos e derivados), *ãi* (usado em vocábulos anoxítonos e derivados), *ão* e *õe*. Exemplos: *cães*, *Guimarães*, *mãe*, *mãezinha*; *cãibas*, *cãibeiro*, *cãibra*, *zãibo*; *mão*, *mãozinha*, *não*, *quão*, *sótão*, *sotãozinho*, *tão*; *Camões*, *orações*, *oraçõezinhas*, *põe*, *repões*. Ao lado de tais ditongos pode, por exemplo, colocar-se o ditongo *ũi*; mas este, embora se exemplifique numa forma popular como *rũi* = *ruim*, representa-se sem o til nas formas *muito* e *mui*, por obediência à tradição.

b) Os ditongos representados por uma vogal seguida da consoante nasal *m* são dois: *am* e *em*. Divergem, porém, nos seus empregos:

i) *am* (sempre átono) só se emprega em flexões verbais: *amam*, *deviam*, *escreveram*, *puseram*;

ii) *em* (tónico/tônico ou átono) emprega-se em palavras de categorias morfológicas diversas, incluindo flexões verbais, e pode apresentar variantes gráficas determinadas pela posição, pela acentuação ou, simultaneamente, pela posição e pela acentuação: *bem*, *Bembom*, *Bemposta*, *cem*, *devem*, *nem*, *quem*, *sem, tem, virgem; Bencanta, Benfeito, Benfica, benquisto, bens, enfim, enquanto, homenzarrão, homenzinho, nuvenzinha, tens, virgens, amém* (variação de *ámen*), *armazém, convém, mantém, ninguém, porém, Santarém, também; convêm, mantêm, têm* (3as pessoas do plural); *armazéns, desdéns, convéns, reténs; Belenzada, vintenzinho.*

Base VIII

Da acentuação gráfica das palavras oxítonas

1º) Acentuam-se com acento agudo:

a) As palavras oxítonas terminadas nas vogais tónicas/tônicas abertas grafas *-a*, *-e* ou *-o*, seguidas ou não de *-s*: *está, estás, já, olá; até, é, és, olé, pontapé(s); avó(s), dominó(s), paletó(s), só(s).*

Obs.: Em algumas (poucas) palavras oxítonas terminadas em *-e* tónico/tônico, geralmente provenientes do francês, esta vogal, por ser articulada nas pronúncias cultas ora como aberta, ora como fechada, admite tanto o acento agudo como o acento circunflexo: *bebé* ou *bebê*, *bidé* ou *bidê*, *canapé* ou *canapê*, *caraté* ou *caratê*, *croché* ou *crochê*, *guiché* ou *guichê*, *matiné* ou *matinê*, *nené* ou *nenê*, *ponjé* ou *ponjê*, *puré* ou *purê*, *rapé* ou *rapê*.

O mesmo se verifica com formas como *cocó* e *cocô*, *ró* (letra do alfabeto grego) e *rô*. São igualmente admitidas formas como *judô*, a par de *judo*, e *metrô*, a par de *metro*.

b) As formas verbais oxítonas, quando, conjugadas com os pronomes clíticos *lo(s)* ou *la(s)*, ficam a terminar na vogal tónica/tônica aberta grafada *-a*, após a assimilação e perda das consoantes finais grafadas *-r*, *-s* ou *-z*: *adorá-lo(s)* (de *adorar-lo(s)*), *dá-la(s)* (de *dar-la(s)* ou *dá(s)-la(s)*), *fá-lo(s)* (de *faz-lo(s)*), *fá-lo(s)-ás* (de *far-lo(s)-ás*), *habitá-la(s)-iam* (de *habitar-la(s)-iam*), *trá-la(s)-á* (de *trar-la(s)-á*);

c) As palavras oxítonas com mais de uma sílaba terminadas no ditongo nasal grafado *-em* (exceto as formas da 3ª pessoa do plural do presente do indicativo dos compostos de *ter* e *vir*: *retêm, sustêm*; *advêm, provêm*; etc.) ou *-ens*: *acém, detém, deténs, entretém, entreténs, harém, haréns, porém, provém, provéns, também*;

d) As palavras oxítonas com os ditongos abertos grafados *-éi*, *-éu* ou *-ói*, podendo estes dois últimos ser seguidos ou não de *-s*: *anéis, batéis, fiéis, papéis*; *céu(s), chapéu(s), ilhéu(s), véu(s)*; *corrói* (de *corroer*), *herói(s), remói* (de *remoer*), *sóis*.

2º) Acentuam-se com acento circunflexo:

a) As palavras oxítonas terminadas nas vogais tónicas/tônicas fechadas que se grafam *-e* ou *-o*, seguidas ou não de *-s*: *cortês, dê, dês* (de *dar*), *lê, lês* (de *ler*), *português, você(s)*; *avô(s), pôs* (de *pôr*), *robô(s)*;

b) As formas verbais oxítonas, quando, conjugadas com os pronomes clíticos *-lo(s)* ou *-la(s)*, ficam a terminar nas vogais tónicas/tônicas fechadas que se grafam *-e* ou *-o*, após a assimilação e perda das consoantes finais grafadas *-r*, *-s* ou *-z*: *detê-lo(s)* (de *deter-lo(s)*), *fazê-la(s)* (de *fazer-la(s)*), *fê-lo(s)* (de *fez-lo(s)*), *vê-la(s)* (de *ver-la(s)*), *compô-la(s)* (de *compor-la(s)*), *repô-la(s)* (de *repor-la(s)*), *pô-la(s)* (de *por-la(s)* ou *pôs-la(s)*).

3º) Prescinde-se de acento gráfico para distinguir palavras oxítonas homógrafas, mas heterofónicas/heterofônicas, do tipo de *cor (ô)*, substantivo, e *cor (ó)*, elemento da locução *de cor*; *colher (ê)*, verbo, e *colher (é)*, substantivo. Excetua-se a forma verbal *pôr*, para a distinguir da preposição *por.*

Base IX

Da acentuação gráfica das palavras paroxítonas

1º) As palavras paroxítonas não são em geral acentuadas graficamente: *enjoo, grave, homem, mesa, Tejo, vejo, velho, voo*; *avanço, floresta*; *abençoo, angolano, brasileiro*; *descobrimento, graficamente, moçambicano.*

2º) Recebem, no entanto, acento agudo:

a) As palavras paroxítonas que apresentam, na sílaba tónica/tônica, as vogais abertas grafadas *a, e, o* e ainda *i* ou *u* e que terminam em *-l, -n, -r, -x* e *-ps*, assim como, salvo raras exceções, as respetivas formas do plural, algumas das quais passam a proparoxítonas: *amável* (pl. *amáveis*), *Aníbal, dócil* (pl. *dóceis*), *dúctil* (pl. *dúcteis*), *fóssil* (pl. *fósseis*), *réptil* (pl. *répteis*; var. *reptil*, pl. *reptis*); *cármen* (pl. *cármenes* ou *carmens*; var. *carme*, pl. *carmes*), *dólmen* (pl. *dólmenes* ou *dolmens*), *éden* (pl. *édenes* ou *edens*), *líquen* (pl. *líquenes*), *lúmen* (pl. *lúmenes* ou *lumens*); *açúcar* (pl. *açúcares*), *almíscar* (pl. *almíscares*), *cadáver* (pl. *cadáveres*), *caráter* ou *carácter* (mas pl. *carateres* ou *caracteres*), *ímpar* (pl. *ímpares*); *Ájax, córtex* (pl. *córtex*; var. *córtice*, pl. *córtices*), *índex* (pl. *índex*; var. *índice*, pl. *índices*), *tórax* (pl. *tórax* ou *tóraxes*; var. *torace*, pl. *toraces*); *bíceps* (pl. *bíceps*; var. *bicípite*, pl. *bicípites*), *fórceps* (pl. *fórceps*; var. *fórcipe*, pl. *fórcipes*).

Obs.: Muito poucas palavras deste tipo, com as vogais tónicas/tônicas grafadas *e* e *o* em fim de sílaba, seguidas das consoantes nasais grafadas *m* e *n*, apresentam oscilação de timbre nas pronúncias cultas da língua e, por conseguinte, também de acento gráfico (agudo ou circunflexo): *sémen* e *sêmen*, *xénon* e *xênon*; *fémur* e *fêmur*, *vómer* e *vômer*; *Fénix* e *Fênix*, *ónix* e *ônix*.

b) As palavras paroxítonas que apresentam, na sílaba tónica/tônica, as vogais abertas grafadas *a*, *e*, *o* e ainda *i* ou *u* e que terminam em *-ã(s)*, *-ão(s)*, *-ei(s)*, *-i(s)*, *-um*, *-uns* ou *-us*: *órfã* (pl. *órfãs*), *acórdão* (pl. *acórdãos*), *órfão* (pl. *órfãos*), *órgão* (pl. *órgãos*), *sótão* (pl. *sótãos*); *hóquei*, *jóquei* (pl. *jóqueis*), *amáveis* (pl. de *amável*), *fáceis* (pl. de *fácil*), *fósseis* (pl. de *fóssil*), *amáreis* (de *amar*), *amáveis* (id.), *cantaríeis* (de *cantar*), *fizéreis* (de *fazer*), *fizésseis* (id.); *beribéri* (pl. *beribéris*), *bílis* (sg. e pl.), *íris* (sg. e pl.), *júri* (pl. *júris*), *oásis* (sg. e pl.); *álbum* (pl. *álbuns*), *fórum* (pl. *fóruns*); *húmus* (sg. e pl.), *vírus* (sg. e pl.).

Obs.: Muito poucas paroxítonas deste tipo, com as vogais tónicas/tônicas grafadas *e* e *o* em fim de sílaba, seguidas das consoantes nasais grafadas *m* e *n*, apresentam oscilação de timbre nas pronúncias cultas da língua, o qual é assinalado com acento agudo, se aberto, ou circunflexo, se fechado: *pónei* e *pônei*; *gónis* e *gônis*, *pénis* e *pênis*, *ténis* e *tênis*; *bónus* e *bônus*, *ónus* e *ônus*, *tónus* e *tônus*, *Vénus* e *Vênus*.

3º) Não se acentuam graficamente os ditongos representados por *ei* e *oi* da sílaba tónica/tônica das palavras paroxítonas, dado que existe oscilação em muitos casos entre o fechamento e a abertura na sua articulação: *assembleia*, *boleia*, *ideia*, tal como *aldeia*, *baleia*, *cadeia*, *cheia*, *meia*; *coreico*, *epopeico*, *onomatopeico*, *proteico*; *alcaloide*, *apoio* (do verbo *apoiar*), tal como *apoio* (subst.), *Azoia*, *boia*, *boina*, *comboio* (subst.), tal como *comboio*, *comboias* etc. (do verbo *comboiar*), *dezoito*, *estroina*, *heroico*, *introito*, *jiboia*, *moina*, *paranoico*, *zoina*.

4º) É facultativo assinalar com acento agudo as formas verbais de pretérito perfeito do indicativo, do tipo *amámos, louvámos*, para as distinguir das correspondentes formas do presente do indicativo (*amamos, louvamos*), já que o timbre da vogal tónica/tônica é aberto naquele caso em certas variantes do português.

5º) Recebem acento circunflexo:

a) As palavras paroxítonas que contêm, na sílaba tónica/tônica, as vogais fechadas com a grafia *a, e, o* e que terminam em *-l, -n, -r* ou *-x*, assim como as respetivas formas do plural, algumas das quais se tornam proparoxítonas: *cônsul* (pl. *cônsules*), *pênsil* (pl. *pênseis*), *têxtil* (pl. *têxteis*); *cânon*, var. *cânone*, (pl. *cânones*), *plâncton* (pl. *plânctons*); *Almodôvar, aljôfar* (pl. *aljôfares*), *âmbar* (pl. *âmbares*), *Câncer, Tânger*; *bômbax* (sg. e pl.), *bômbix*, var. *bômbice* (pl. *bômbices*).

b) As palavras paroxítonas que contêm, na sílaba tónica/tônica, as vogais fechadas com a grafia *a, e, o* e que terminam em *-ão(s), -eis, -i(s)* ou *-us*: *bênção(s), côvão(s), Estêvão, zângão(s)*; *devêreis* (de *dever*), *escrevêsseis* (de *escrever*), *fôreis* (de *ser* e *ir*), *fôsseis* (id.), *pênseis* (pl. de *pênsil*), *têxteis* (pl. de *têxtil*); *dândi(s), Mênfis*; *ânus*.

c) As formas verbais *têm* e *vêm*, 3ªs pessoas do plural do presente do indicativo de *ter* e *vir*, que são foneticamente paroxítonas (respetivamente */tãjãj/, /vãjãj/* ou */tẽẽj/, /veẽj/* ou ainda */tẽjẽj/, /vẽjẽj/*, cf. as antigas grafias preteridas, *têem, vêem*), a fim de se distinguirem de *tem* e *vem*, 3ªs pessoas do singular do presente do indicativo ou 2ªs pessoas do singular do imperativo; e também as correspondentes formas compostas, tais como: *abstêm* (cf. *abstém*), *advêm* (cf. *advém*), *contêm* (cf. *contém*), *convêm* (cf. *convém*), *desconvêm* (cf. *desconvém*), *detêm* (cf. *detém*), *entretêm* (cf. *entretém*), *intervêm* (cf. *intervém*), *mantêm* (cf. *mantém*), *obtêm* (cf. *obtém*), *provêm* (cf. *provém*), *sobrevêm* (cf. *sobrevém*).

Obs.: Também neste caso são preteridas as antigas grafias *detêem*, *intervêem*, *mantêem*, *provêem* etc.

6º) Assinalam-se com acento circunflexo:

a) Obrigatoriamente, *pôde* (3ª pessoa do singular do pretérito perfeito do indicativo), que se distingue da correspondente forma do presente do indicativo (*pode*).
b) Facultativamente, *dêmos* (1ª pessoa do plural do presente do conjuntivo), para se distinguir da correspondente forma do pretérito perfeito do indicativo (*demos*); *fôrma* (substantivo), distinta de *forma* (substantivo: 3ª pessoa do singular do presente do indicativo ou 2ª pessoa do singular do imperativo do verbo *formar*).

7º) Prescinde-se de acento circunflexo nas formas verbais paroxítonas que contêm um *e* tónico/tônico oral fechado em hiato com a terminação *-em* da 3ª pessoa do plural do presente do indicativo ou do conjuntivo, conforme os casos: *creem*, *deem* (conj.), *descreem*, *desdeem* (conj.), *leem*, *preveem*, *redeem* (conj.), *releem*, *reveem*, *tresleem*, *veem*.

8º) Prescinde-se igualmente do acento circunflexo para assinalar a vogal tónica/tônica fechada com a grafia *o* em palavras paroxítonas como *enjoo*, substantivo e flexão de *enjoar*, *povoo*, flexão de *povoar*, *voo*, substantivo e flexão de *voar* etc.

9º) Prescinde-se, quer do acento agudo quer do circunflexo para distinguir palavras paroxítonas que, tendo respectivamente vogal tónica/tônica aberta ou fechada, são homógrafas de palavras proclíticas.

Assim, deixam de se distinguir pelo acento gráfico: *para (á)*, flexão de *parar*, e *para*, preposição; *pela(s) (é)*, substantivo e flexão de *pelar*, e *pela(s)*, combinação de *per* e *la(s)*; *pelo (é)*, flexão de *pelar*, *pelo(s) (ê)*, substantivo ou combinação de *per* e *lo(s)*; *polo(s) (ó)*, substantivo, e *polo(s)*, combinação antiga e popular de *por* e *lo(s)*; etc.

10º) Prescinde-se igualmente de acento gráfico para distinguir paroxítonas homógrafas heterofónicas/heterofônicas do tipo de *acerto (ê)*, substantivo, e *acerto (é)*, flexão de *acertar*; *acordo (ô)*, substantivo, e *acordo (ó)*, flexão de *acordar*; *cerca (ê)*, substantivo, advérbio e elemento da locução prepositiva *cerca de*, e *cerca (é)*, flexão de *cercar*; *coro (ô)*, substantivo, e *coro (ó)*, flexão de *corar*; *deste (ê)*, contração da preposição *de* com o demonstrativo *este*, e *deste (é)*, flexão de *dar*; *fora (ô)*, flexão de *ser* e *ir*, e *fora (ó)*, advérbio, interjeição e substantivo; *piloto (ô)*, substantivo, e *piloto (ó)*, flexão de *pilotar*; etc.

Base X

Da acentuação das vogais tónicas/tônicas grafadas *i* e *u* das palavras oxítonas e paroxítonas

1º) As vogais tónicas/tônicas grafadas *i* e *u* das palavras oxítonas e paroxítonas levam acento agudo quando antecedidas de uma vogal com que não formam ditongo e desde que não constituam sílaba com a eventual consoante seguinte, excetuando o caso de *s*: *adaís* (pl. de *adail*), *aí*, *atraí* (de *atrair*), *baú*, *caís* (de *cair*), *Esaú*, *jacuí*, *Luís*, *país* etc.; *alaúde*, *amiúde*, *Araújo*, *Ataíde*, *atraíam* (de *atrair*), *atraísse* (id.), *baía*, *balaústre*, *cafeína*, *ciúme*, *egoísmo*, *faísca*, *faúlha*, *graúdo*, *influíste* (de *influir*), *juízes*, *Luísa*, *miúdo*, *paraíso*, *raízes*, *recaída*, *ruína*, *saída*, *sanduíche* etc.

2º) As vogais tónicas/tônicas grafadas *i* e *u* das palavras oxítonas e paroxítonas não levam acento agudo quando, antecedidas de vogal com que não formam ditongo, constituem sílaba com a consoante seguinte, como é o caso de *nh*, *l*, *m*, *n*, *r* e *z*: *bainha*, *moinho*, *rainha*; *adail*, *paul*, *Raul*; *Aboim*, *Coimbra*, *ruim*; *ainda*, *constituinte*, *oriundo*, *ruins*, *triunfo*; *atrair*, *demiurgo*, *influir*, *influirmos*; *juiz*, *raiz*; etc.

3º) Em conformidade com as regras anteriores, leva acento agudo a vogal tónica/tônica grafada *i* das formas oxítonas terminadas em *r* dos verbos em *-air* e *-uir*, quando estas se combinam com as formas pronominais clíticas *-lo(s)*, *-la(s)*, que levam à assimilação e perda daquele *-r*: *atraí-lo(s)* (de *atrair-lo(s)*); *atraí-lo(s) -ia* (de *atrair-lo(s)-ia*); *possuí-la(s)* (de *possuir-la(s)*); *possuí-la(s)-ia* (de *possuir-la(s)-ia*).

4º) Prescinde-se do acento agudo nas vogais tónicas/tônicas grafadas *i* e *u* das palavras paroxítonas, quando elas estão precedidas de ditongo: *baiuca*, *boiuno*, *cauila* (var. *cauira*), *cheiinho* (de *cheio*), *saiinha* (de *saia*).

5º) Levam, porém, acento agudo as vogais tónicas/tônicas grafadas *i* e *u* quando, precedidas de ditongo, pertencem a palavras oxítonas e estão em posição final ou seguidas de *s*: *Piauí*, *teiú*, *teiús*, *tuiuiú*, *tuiuiús*.

Obs.: Se, neste caso, a consoante final for diferente de *s*, tais vogais dispensam o acento agudo: *cauim*.

6º) Prescinde-se do acento agudo nos ditongos tónicos/tônicos grafados *iu* e *ui*, quando precedidos de vogal: *distraiu*, *instruiu*, *pauis* (pl. de *paul*).

7º) Os verbos *arguir* e *redarguir* prescindem do acento agudo na vogal tónica/tônica grafada *u* nas formas rizotónicas/rizotônicas: *arguo, arguis, argui, arguem; argua, arguas, argua, arguam*. Os verbos do tipo de *aguar, apaniguar, apaziguar, apropinquar, averiguar, desaguar, enxaguar, obliquar, delinquir* e afins, por oferecerem dois paradigmas, ou têm as formas rizotónicas/rizotônicas igualmente acentuadas no *u* mas sem marca gráfica (a exemplo de *averiguo, averiguas, averigua, averiguam; averigue, averigues, averigue, averiguem; enxaguo, enxaguas, enxagua, enxaguam; enxague, enxagues, enxague, enxaguem* etc.; *delinquo, delinquis, delinqui, delinquem*; mas *delinquimos, delinquis*) ou têm as formas rizotónicas/rizotônicas acentuadas fónica/fônica e graficamente nas vogais *a* ou *i* radicais (a exemplo de *averíguo, averíguas, averígua, averíguam; averígue, averígues, averígue, averíguem; enxáguo, enxáguas, enxágua, enxáguam; enxágue, enxágues, enxágue, enxáguem; delínquo, delínques, delínque, delínquem; delínqua, delínquas, delínqua, delínquam*).

Obs.: Em conexão com os casos acima referidos, registre-se que os verbos em *-ingir* (*atingir, cingir, constringir, infringir, tingir* etc.) e os verbos em *-inguir* sem prolação do *u* (*distinguir, extinguir* etc.) têm grafias absolutamente regulares (*atinjo, atinja, atinge, atingimos* etc.; *distingo, distinga, distingue, distinguimos* etc.).

Base XI

Da acentuação das palavras proparoxítonas

1º) Levam acento agudo:

a) As palavras proparoxítonas que apresentam na sílaba tónica/tônica as vogais abertas grafadas *a, e, o* e ainda *i, u* ou ditongo oral começado por vogal aberta: *árabe, cáustico, Cleópatra, esquálido, exército, hidráulico, líquido, míope, músico, plástico, prosélito, público, rústico, tétrico, último*;

b) As chamadas proparoxítonas aparentes, isto é, que apresentam na sílaba tónica/tônica as vogais abertas grafadas *a, e, o* e ainda *i, u* ou ditongo oral começado por vogal aberta, e que terminam por sequências vocálicas pós-tónicas/pós-tônicas praticamente consideradas ditongos crescentes (*-ea, -eo, -ia, -ie, -io, -oa, -ua, -uo* etc.): *álea, náusea*; *etéreo, níveo*; *enciclopédia, glória*; *barbárie, série*; *lírio, prélio*; *mágoa, nódoa*; *exígua, língua*; *exíguo, vácuo.*

2º) Levam acento circunflexo:

a) As palavras proparoxítonas que apresentam na sílaba tónica/tônica vogal fechada ou ditongo com a vogal básica fechada: *anacreôntico, brêtema, cânfora, cômputo, devêramos* (de *dever*), *dinâmico, êmbolo, excêntrico, fôssemos* (de *ser* e *ir*), *Grândola, hermenêutica, lâmpada, lôstrego, lôbrego, nêspera, plêiade, sôfrego, sonâmbulo, trôpego*;

b) As chamadas proparoxítonas aparentes, isto é, que apresentam vogais fechadas na sílaba tónica/tônica e terminam por sequências vocálicas pós-tónicas/pós-tônicas praticamente consideradas como ditongos crescentes: *amêndoa, argênteo, côdea, Islândia, Mântua, serôdio.*

3º) Levam acento agudo ou acento circunflexo as palavras proparoxítonas, reais ou aparentes, cujas vogais tónicas/tônicas grafadas *e* ou *o* estão em final de sílaba e são seguidas das consoantes nasais grafadas *m* ou *n*, conforme o seu timbre é, respetivamente, aberto ou fechado nas pronúncias cultas da língua: *académico/acadêmico, anatómico/anatômico, cénico/cênico, cómodo/cômodo, fenómeno/fenômeno, género/gênero, topónimo/topônimo*; *Amazónia/Amazônia,*

António/Antônio, *blasfémia/blasfêmia*, *fémea/fêmea*, *gémeo/gêmeo*, *génio/gênio*, *ténue/tênue*.

Base XII

Do emprego do acento grave

1º) Emprega-se o acento grave:

a) Na contração da preposição *a* com as formas femininas do artigo ou pronome demonstrativo *a*: *à* (de *a*+*a*), *às* (de *a*+*as*);

b) Na contração da preposição *a* com os demonstrativos *aquele*, *aquela*, *aqueles*, *aquelas* e *aquilo* ou ainda da mesma preposição com os compostos *aqueloutro* e suas flexões: *àquele(s)*, *àquela(s)*, *àquilo*; *àqueloutro(s)*, *àqueloutra(s)*.

Base XIII

Da supressão dos acentos em palavras derivadas

1º) Nos advérbios em *-mente*, derivados de adjetivos com acento agudo ou circunflexo, estes são suprimidos: *avidamente* (de *ávido*), *debilmente* (de *débil*), *facilmente* (de *fácil*), *habilmente* (de *hábil*), *ingenuamente* (de *ingênuo*), *lucidamente* (de *lúcido*), *mamente* (de *má*), *somente* (de *só*), *unicamente* (de *único*) etc.; *candidamente* (de *cândido*), *cortesmente* (de *cortês*), *dinamicamente* (de *dinâmico*), *espontaneamente* (de *espontâneo*), *portuguesmente* (de *português*), *romanticamente* (de *romântico*).

2º) Nas palavras derivadas que contêm sufixos iniciados por *z* e cujas formas de base apresentam vogal tónica/tônica com acento agudo ou circunflexo, estes são suprimidos: *aneizinhos* (de *anéis*), *avozinha* (de *avó*), *bebezito* (de *bebê*), *cafezada* (de *café*), *chapeuzinho* (de *chapéu*), *chazeiro* (de *chá*), *heroizito* (de *herói*), *ilheuzito* (de *ilhéu*), *mazinha* (de *má*), *orfãozinho* (de *órfão*), *vintenzito* (de *vintém*) etc.; *avozinho* (de *avô*), *bençãozinha* (de *bênção*), *lampadazita* (de *lâmpada*), *pessegozito* (de *pêssego*).

Base XIV

Do trema

O trema, sinal de diérese, é inteiramente suprimido em palavras portuguesas ou aportuguesadas. Nem sequer se emprega na poesia, mesmo que haja separação de duas vogais que normalmente formam ditongo: *saudade*, e não *saüdade*, ainda que tetrassílabo; *saudar*, e não *saüdar*, ainda que trissílabo; etc.

Em virtude desta supressão, abstrai-se de sinal especial, quer para distinguir, em sílaba átona, um *i* ou um *u* de uma vogal da sílaba anterior, quer para distinguir, também em sílaba átona, um *i* ou um *u* de um ditongo precedente, quer para distinguir, em sílaba tónica/tônica ou átona, o *u* de *gu* ou de *qu* de um *e* ou *i* seguintes: *arruinar*, *constituiria*, *depoimento*, *esmiuçar*, *faiscar*, *faulhar*, *oleicultura*, *paraibano*, *reunião*; *abaiucado*, *auiqui*, *caiuá*, *cauixi*, *piauiense*; *aguentar*, *anguiforme*, *arguir*, *bilíngue* (ou *bilingue*), *lingueta*, *linguista*, *linguístico*; *cinquenta*, *equestre*, *frequentar*, *tranquilo*, *ubiquidade*.

Obs.: Conserva-se, no entanto, o trema, de acordo com a Base I, 3º, em palavras derivadas de nomes próprios estrangeiros: *hübneriano*, de *Hübner*; *mülleriano*, de *Müller*; etc.

Base XV

Do hífen em compostos, locuções e encadeamentos vocabulares

1º) Emprega-se o hífen nas palavras compostas por justaposição que não contêm formas de ligação e cujos elementos, de natureza nominal, adjetival, numeral ou verbal, constituem uma unidade sintagmática e semântica e mantêm acento próprio, podendo dar-se o caso de o primeiro elemento estar reduzido: *ano-luz*, *arcebispo-bispo*, *arco-íris*, *decreto-lei*, *és-sueste*, *médico-cirurgião*, *rainha-cláudia*, *tenente-coronel*, *tio-avô*, *turma-piloto*; *alcaide-mor*, *amor-perfeito*, *guarda-noturno*, *mato-grossense*, *norte-americano*, *porto-alegrense*, *sul-africano*; *afro-asiático*, *afro-luso-brasileiro*, *azul-escuro*, *luso-brasileiro*, *primeiro-ministro*, *primeiro-sargento*, *primo-infeção*, *segunda-feira*; *conta-gotas*, *finca-pé*, *guarda-chuva*.

Obs.: Certos compostos, em relação aos quais se perdeu, em certa medida, a noção de composição, grafam-se aglutinadamente: *girassol*, *madressilva*, *mandachuva*, *pontapé*, *paraquedas*, *paraquedista* etc.

2º) Emprega-se o hífen nos topónimos/topônimos compostos, iniciados pelos adjetivos *grã*, *grão* ou por forma verbal ou cujos elementos estejam ligados por artigo: *Grã-Bretanha*, *Grão-Pará*; *Abre-Campo*; *Passa-Quatro*, *Quebra-Costas*, *Quebra-Dentes*, *Traga-Mouros*, *Trinca-Fortes*; *Albergaria-a-Velha*, *Baía de Todos-os-Santos*, *Entre-os-Rios*, *Montemor-o-Novo*, *Trás-os-Montes*.

Obs.: Os outros topónimos/topônimos compostos escrevem-se com os elementos separados, sem hífen: *América do Sul*, *Belo Horizonte*, *Cabo Verde*, *Castelo Branco*, *Freixo de Espada à Cinta* etc. O topónimo/topônimo *Guiné-Bissau* é, contudo, uma exceção consagrada pelo uso.

3º) Emprega-se o hífen nas palavras compostas que designam espécies botânicas e zoológicas, estejam ou não ligadas por preposição ou qualquer outro elemento: *abóbora-menina*, *couve-flor*, *erva-doce*, *feijão-verde*; *bênção-de-deus*, *erva-do-chá*, *ervilha-de-cheiro*, *fava-de-santo-inácio*; *bem-me-quer* (nome de planta que também se dá à *margarida* e ao *malmequer*); *andorinha-grande*, *cobra-capelo*, *formiga-branca*; *andorinha-do-mar*, *cobra-d'água*, *lesma-de-conchinha*; *bem-te-vi* (nome de um pássaro).

4º) Emprega-se o hífen nos compostos com os advérbios *bem* e *mal*, quando estes formam com o elemento que se lhes segue uma unidade sintagmática e semântica e tal elemento começa por vogal ou *h*. No entanto, o advérbio *bem*, ao contrário de *mal*, pode não se aglutinar com palavras começadas por consoante. Eis alguns exemplos das várias situações: *bem-aventurado*, *bem-estar*, *bem-humorado*; *mal-afortunado*, *mal-estar*, *mal-humorado*; *bem-criado* (cf. *malcriado*), *bem-ditoso* (cf. *malditoso*), *bem-falante* (cf. *malfalante*), *bem-mandado* (cf. *malmandado*), *bem-nascido* (cf. *malnascido*), *bem-soante* (cf. *malsoante*), *bem-visto* (cf. *malvisto*).

Obs.: Em muitos compostos, o advérbio *bem* aparece aglutinado com o segundo elemento, quer este tenha ou não vida à parte: *benfazejo*, *benfeito*, *benfeitor*, *benquerença* etc.

5º) Emprega-se o hífen nos compostos com os elementos *além*, *aquém*, *recém* e *sem*: *além-Atlântico*, *além-mar*, *além-fronteiras*; *aquém-mar*, *aquém-Pirenéus*; *recém-casado*, *recém-nascido*; *sem-cerimónia*, *sem-número*, *sem-vergonha*.

6º) Nas locuções de qualquer tipo, sejam elas substantivas, adjetivas, pronominais, adverbiais, prepositivas ou conjuncionais, não se emprega em geral o hífen, salvo algumas exceções já consagradas pelo uso (como é o caso de *água-de-colônia*, *arco-da-velha*, *cor-de-rosa*, *mais-que-perfeito*, *pé-de-meia*, *ao deus-dará*, *à queima-roupa*). Sirvam, pois, de exemplo de emprego sem hífen as seguintes locuções:

a) Substantivas: *cão de guarda*, *fim de semana*, *sala de jantar*;
b) Adjetivas: *cor de açafrão*, *cor de café com leite*, *cor de vinho*;
c) Pronominais: *cada um*, *ele próprio*, *nós mesmos*, *quem quer que seja*;
d) Adverbiais: *à parte* (note-se o susbstantivo *aparte*), *à vontade*, *de mais* (locução que se contrapõe a *de menos*; note-se *demais*, advérbio, conjunção etc.), *depois de amanhã*, *em cima*, *por isso*;
e) Prepositivas: *abaixo de*, *acerca de*, *acima de*, *a fim de*; *a par de*, *à parte de*, *apesar de*, *aquando de*, *debaixo de*, *enquanto a*, *por baixo de*, *por cima de*, *quanto a*;
f) Conjuncionais: *a fim de que*, *ao passo que*, *contanto que*, *logo que*, *por conseguinte*, *visto que*.

7º) Emprega-se o hífen para ligar duas ou mais palavras que ocasionalmente se combinam, formando, não propriamente vocábulos, mas encadeamentos vocabulares (tipo: a divisa *Liberdade-Igualdade-Fraternidade*, a ponte *Rio-Niterói*, o percurso *Lisboa-Coimbra-Porto*, a ligação *Angola-Moçambique*), e bem assim nas combinações históricas ou ocasionais de topónimos/topônimos (tipo: *Áustria-Hungria*, *Alsácia-Lorena*, *Angola-Brasil*, *Tóquio-Rio de Janeiro* etc.).

Base XVI

Do hífen nas formações por prefixação, recomposição e sufixação

1º) Nas formações com prefixos (como, por exemplo: *ante-*, *anti-*, *circum-*, *co-*, *contra-*, *entre-*, *extra-*, *hiper-*, *infra-*, *intra-*, *pós-*, *pré-*, *pró-*, *sobre-*, *sub-*, *super-*, *supra-*, *ultra-* etc.) e em formações por recomposição, isto é, com elementos não autônomos ou falsos prefixos de origem grega e latina (tais como: *aero-*, *agro-*, *arqui-*, *auto-*, *bio-*, *eletro-*, *geo-*, *hidro-*, *inter-*, *macro-*, *maxi-*, *micro-*, *mini-*, *multi-*, *neo-*, *pan-*, *pluri-*, *proto-*, *pseudo-*, *retro-*, *semi-*, *tele-* etc.), só se emprega o hífen nos seguintes casos:

a) Nas formações em que o segundo elemento começa por *h*: *anti-higiénico/anti-higiênico*, *circum-hospitalar*, *co-herdeiro*, *contra-harmónico/contra-harmônico*, *extra-humano*, *pré-história*, *sub-hepático*, *super-homem*, *ultra-hiperbólico*; *arqui-hipérbole*, *eletro-higrômetro*, *geo-história*, *neo-helénico/neo-helênico*, *pan-helenismo*, *semi-hospitalar*.

Obs.: Não se usa, no entanto, o hífen em formações que contêm em geral os prefixos *des-* e *in-* e nas quais o segundo elemento perdeu o *h* inicial: *desumano*, *desumidificar*, *inábil*, *inumano* etc.

b) Nas formações em que o prefixo ou pseudoprefixo termina na mesma vogal com que se inicia o segundo elemento: *anti-ibérico*, *contra-almirante*, *infra-axilar*, *supra-auricular*; *arqui-irmandade*, *auto-observação*, *eletro-ótica*, *micro-onda*, *semi-interno*.

Obs.: Nas formações com o prefixo *co-*, este aglutina-se em geral com o segundo elemento mesmo quando iniciado por *o*: *coobrigação*, *coocupante*, *coordenar*, *cooperação*, *cooperar* etc.

c) Nas formações com os prefixos *circum-* e *pan-*, quando o segundo elemento começa por vogal, *m* ou *n* (além de *h*, caso já considerado atrás na alínea *a*): *circum-escolar, circum-murado, circum-navegação; pan-africano, pan-mágico, pan-negritude.*

d) Nas formações com os prefixos *hiper-*, *inter-* e *super-*, quando combinados com elementos iniciados por *r*: *hiper-requintado, inter-resistente, super-revista.*

e) Nas formações com os prefixos *ex-* (com o sentido de estado anterior ou cessamento), *sota-*, *soto-*, *vice-* e *vizo-*: *ex-almirante, ex-diretor, ex-hospedeira, ex-presidente, ex-primeiro-ministro, ex--rei; sota-piloto, soto-mestre, vice-presidente, vice-reitor, vizo-rei.*

f) Nas formações com os prefixos tónicos/tônicos acentuados graficamente *pós-*, *pré-* e *pró-* quando o segundo elemento tem vida à parte (ao contrário do que acontece com as correspondentes formas átonas que se aglutinam com o elemento seguinte): *pós-graduação, pós-tónico/pós-tônicos* (mas *pospor*); *pré-escolar, pré-natal* (mas *prever*); *pró-africano, pró-europeu* (mas *promover*).

2º) Não se emprega, pois, o hífen:

a) Nas formações em que o prefixo ou falso prefixo termina em vogal e o segundo elemento começa por *r* ou *s*, devendo estas consoantes duplicar-se, prática aliás já generalizada em palavras deste tipo pertencentes aos domínios científico e técnico. Assim: *antirreligioso, antissemita, contrarregra, contrassenha, cosseno, extrarregular, infrassom, minissaia*, tal como *biorritmo, biossatélite, eletrossiderurgia, microssistema, microrradiografia.*

b) Nas formações em que o prefixo ou pseudoprefixo termina em vogal e o segundo elemento começa por vogal diferente, prática esta em geral já adotada também para os termos técnicos e científicos. Assim: *antiaéreo, coeducação, extraescolar, aeroespacial, autoestrada, autoaprendizagem, agroindustrial, hidroelétrico, plurianual.*

3º) Nas formações por sufixação apenas se emprega o hífen nos vocábulos terminados por sufixos de origem tupi-guarani que representam formas adjetivas, como *açu*, *guaçu* e *mirim*, quando o primeiro elemento acaba em vogal acentuada graficamente ou quando a pronúncia exige a distinção gráfica dos dois elementos: *amoré-guaçu*, *anajá-mirim*, *andá-açu*, *capim-açu*, *Ceará-Mirim*.

Base XVII

Do hífen na ênclise, na tmese e com o verbo *haver*

1º) Emprega-se o hífen na ênclise e na tmese: *amá-lo*, *dá-se*, *deixa-o*, *partir-lhe*; *amá-lo-ei*, *enviar-lhe-emos*.

2º) Não se emprega o hífen nas ligações da preposição *de* às formas monossilábicas do presente do indicativo do verbo *haver*: *hei de*, *hás de*, *hão de* etc.

Obs.: 1. Embora estejam consagradas pelo uso as formas verbais *quer* e *requer*, dos verbos *querer* e *requerer*, em vez de *quere* e *requere*, estas últimas formas conservam-se, no entanto, nos casos de ênclise: *quere-o(s)*, *requere-o(s)*. Nestes contextos, as formas (legítimas, aliás) *qué-lo* e *requé-lo* são pouco usadas.

2. Usa-se também o hífen nas ligações de formas pronominais enclíticas ao advérbio *eis* (*eis-me*, *ei-lo*) e ainda nas combinações de formas pronominais do tipo *no-lo*, *vo-las*, quando em próclise (por ex.: *esperamos que no-lo comprem*).

Base XVIII

Do apóstrofo

1º) São os seguintes os casos de emprego do apóstrofo:

a) Faz-se uso do apóstrofo para cindir graficamente uma contração ou aglutinação vocabular, quando um elemento ou fração respetiva pertence propriamente a um conjunto vocabular distinto: *d'*Os Lusíadas, *d'*Os Sertões; *n'*Os Lusíadas, *n'*Os Sertões; *pel'*Os Lusíadas, *pel'*Os Sertões. Nada obsta, contudo, a que estas escritas sejam substituídas por empregos de preposições íntegras, se o exigir razão especial de clareza, expressividade ou ênfase: *de* Os Lusíadas, *em* Os Lusíadas, *por* Os Lusíadas etc.

As cisões indicadas são análogas às dissoluções gráficas que se fazem, embora sem emprego do apóstrofo, em combinações da preposição *a* com palavras pertencentes a conjuntos vocabulares imediatos: *a* A Relíquia, *a* Os Lusíadas (exemplos: *importância atribuída a* A Relíquia; *recorro a* Os Lusíadas). Em tais casos, como é óbvio, entende-se que a dissolução gráfica nunca impede na leitura a combinação fonética: *a A* = *à*, *a Os* = *aos* etc.

b) Pode cindir-se por meio do apóstrofo uma contração ou aglutinação vocabular, quando um elemento ou fração respetiva é forma pronominal e se lhe quer dar realce com o uso de maiúscula: *d'Ele*, *n'Ele*, *d'Aquele*, *n'Aquele*, *d'O*, *n'O*, *pel'O*, *m'O*, *t'O*, *lh'O*, casos em que a segunda parte, forma masculina, é aplicável a Deus, a Jesus etc.; *d'Ela*, *n'Ela*, *d'Aquela*, *n'Aquela*, *d'A*, *n'A*, *pel'A*, *m'A*, *t'A*, *lh'A*, casos em que a segunda parte, forma feminina, é aplicável à mãe de Jesus, à Providência etc. Exemplos frásicos: *confiamos n'O que nos salvou; esse milagre revelou-m'O; está n'Ela a nossa esperança; pugnemos pel'A que é nossa padroeira.*

À semelhança das cisões indicadas, pode dissolver-se graficamente, posto que sem uso do apóstrofo, uma combinação da preposição *a* com uma forma pronominal realçada pela maiúscula: *a O, a Aquele, a Aquela* (entendendo-se que a dissolução gráfica nunca impede na leitura a combinação fonética: *a O* = *ao, a Aquela* = *àquela* etc.). Exemplos frásicos: *a O que tudo pode; a Aquela que nos protege.*

c) Emprega-se o apóstrofo nas ligações das formas *santo* e *santa* a nomes do hagiológio, quando importa representar a elisão das vogais finais *o* e *a*: *Sant'Ana, Sant'Iago* etc. É, pois, correto escrever: *Calçada de Sant'Ana, Rua de Sant'Ana; culto de Sant'Iago*, I. Mas, se as ligações deste gênero, como é o caso destas mesmas *Sant'Ana* e *Sant'Iago*, se tornam perfeitas unidades mórficas, aglutinam-se os dois elementos: *Fulano de Santana, Ilhéu de Santana, Santana de Parnaíba; Fulano de Santiago, ilha de Santiago, Santiago do Cacém.*

Em paralelo com a grafia *Sant'Ana* e congêneres, emprega-se também o apóstrofo nas ligações de duas formas antroponímicas, quando é necessário indicar que na primeira se elide um *o* final: *Nun'Álvares, Pedr'Eanes.*

Note-se que nos casos referidos as escritas com apóstrofo, indicativas de elisão, não impedem, de modo algum, as escritas sem apóstrofo: *Santa Ana, Nuno Álvares, Pedro Álvares* etc.

d) Emprega-se o apóstrofo para assinalar, no interior de certos compostos, a elisão do *e* da preposição *de*, em combinação com substantivos: *borda-d'água, cobra-d'água, copo-d'água, estrela-d'alva, galinha-d'água, mãe-d'água, pau-d'água, pau--d'alho, pau-d'arco, pau-d'óleo.*

2º) São os seguintes os casos em que não se usa o apóstrofo:

Não é admissível o uso do apóstrofo nas combinações das preposições *de* e *em* com as formas do artigo definido, com formas pronominais diversas e com formas adverbiais (excetuado o que se estabelece nas alíneas 1º a) e 1º b)). Tais combinações são representadas:

a) Por uma só forma vocabular, se constituem, de modo fixo, uniões perfeitas:

i) *do, da, dos, das*; *dele, dela, deles, delas*; *deste, desta, destes, destas, disto*; *desse, dessa, desses, dessas, disso*; *daquele, daquela, daqueles, daquelas, daquilo*; *destoutro, destoutra, destoutros, destoutras*; *daqueloutros, daqueloutras*; *daqui*; *daí*; *dali*; *dacolá*; *donde*; *dantes* (= *antigamente*);

ii) *no, na, nos, nas*; *nele, nela, neles, nelas*; *neste, nesta, nestes, nestas, nisto*; *nesse, nessa, nesses, nessas, nisso*; *naquele, naquela, naqueles, naquelas, naquilo*; *nestoutro, nestoutra, nestoutros, nestoutras*; *nessoutro, nessoutra, nessoutros, nessoutras*; *naqueloutro, naqueloutra, naqueloutros, naqueloutras*; *num, numa, nuns, numas*; *noutro, noutra, noutros, noutras, noutrem*; *nalgum, nalguma, nalguns, nalgumas, nalguém.*

b) Por uma ou duas formas vocabulares, se não constituem, de modo fixo, uniões perfeitas (apesar de serem correntes com esta feição em algumas pronúncias): *de um, de uma, de uns, de umas*, ou *dum, duma, duns, dumas*; *de algum, de alguma, de alguns, de algumas, de alguém, de algo, de algures, de alhures,* ou *dalgum, dalguma, dalguns, dalgumas, dalguém, dalgo, dalgures, dalhures; de outro, de outra, de outros, de outras, de outrem, de outrora,* ou *doutro, doutra, doutros, doutras, doutrem, doutrora; de aquém* ou *daquém; de além* ou *dalém; de entre* ou *dentre.*

De acordo com os exemplos deste último tipo, tanto se admite o uso da locução adverbial *de ora avante* como do advérbio que representa a contração dos seus três elementos: *doravante.*

Obs.: Quando a preposição *de* se combina com as formas articulares ou pronominais *o, a, os, as,* ou com quaisquer pronomes ou advérbios começados por vogal, mas acontece estarem essas palavras integradas em construções de infinitivo, não se emprega o apóstrofo nem se funde a preposição com a forma imediata, escrevendo-se estas duas separadamente: *a fim de ele compreender; apesar de o não ter visto; em virtude de os nossos pais serem bondosos; o fato de o conhecer; por causa de aqui estares.*

Base XIX

Das minúsculas e maiúsculas

1º) A letra minúscula inicial é usada:

a) Ordinariamente, em todos os vocábulos da língua nos usos correntes.
b) Nos nomes dos dias, meses, estações do ano: *segunda-feira; outubro; primavera.*
c) Nos bibliónimos/bibliônimos (após o primeiro elemento, que é com maiúscula, os demais vocábulos podem ser escritos com minúscula, salvo nos nomes próprios nele contidos, tudo em grifo): *O Senhor do Paço de Ninães, O senhor do paço de Ninães,*

Menino de Engenho ou *Menino de engenho*, *Árvore e Tambor* ou *Árvore e tambor.*

d) Nos usos de *fulano*, *sicrano*, *beltrano*.

e) Nos pontos cardeais (mas não nas suas abreviaturas): *norte*, *sul* (mas: *SW* = sudoeste).

f) Nos axiónimos/axiônimos e hagiónimos/hagiônimos (opcionalmente, neste caso, também com maiúscula): *senhor doutor Joaquim da Silva*, *bacharel Mário Abrantes*, *o cardeal Bembo*; *santa Filomena* (ou *Santa Filomena*).

g) Nos nomes que designam domínios do saber, cursos e disciplinas (opcionalmente, também com maiúscula): *português* (ou *Português*), *matemática* (ou *Matemática*), *línguas e literaturas modernas* (ou *Línguas e Literaturas Modernas*).

2º) A letra maiúscula inicial é usada:

a) Nos antropónimos/antropônimos, reais ou fictícios: *Pedro Marques*; *Branca de Neve*, *D. Quixote*.

b) Nos topónimos/topônimos, reais ou fictícios: *Lisboa*, *Luanda*, *Maputo*, *Rio de Janeiro*; *Atlântida*, *Hespéria*.

c) Nos nomes de seres antropomorfizados ou mitológicos: *Adamastor*; *Neptuno/Netuno*.

d) Nos nomes que designam instituições: *Instituto de Pensões e Aposentadorias da Previdência Social*.

e) Nos nomes de festas e festividades: *Natal*, *Páscoa*, *Ramadão*, *Todos os Santos*.

f) Nos títulos de periódicos, que retêm o itálico: *O Primeiro de Janeiro*, *O Estado de São Paulo* (ou *S. Paulo*).

g) Nos pontos cardeais ou equivalentes, quando empregados absolutamente: *Nordeste*, por nordeste do Brasil, *Norte*, por norte de Portugal, *Meio-Dia*, pelo sul da França ou de outros países, *Ocidente*, por ocidente europeu, *Oriente*, por oriente asiático.

h) Em siglas, símbolos ou abreviaturas internacionais ou nacionalmente reguladas com maiúsculas, iniciais ou mediais ou finais ou o todo em maiúsculas: *FAO*, *NATO*, *ONU*; H_2O, *Sr.*, *V. Exª.*.

i) Opcionalmente, em palavras usadas reverencialmente, aulicamente ou hierarquicamente, em início de versos, em categorizações de logradouros públicos (*rua* ou *Rua da Liberdade*, *largo* ou *Largo dos Leões*), de templos (*igreja* ou *Igreja do Bonfim*, *templo* ou *Templo do Apostolado Positivista*), de edifícios (*palácio* ou *Palácio da Cultura*, *edifício* ou *Edifício Azevedo Cunha*).

Obs.: As disposições sobre os usos das minúsculas e maiúsculas não obstam a que obras especializadas observem regras próprias, provindas de códigos ou normalizações específicas (terminologias antropológica, geológica, bibliológica, botânica, zoológica etc.), promanadas de entidades científicas ou normalizadoras, reconhecidas internacionalmente.

Base XX

Da divisão silábica

A divisão silábica, que em regra se faz pela soletração (*a-ba-de*, *bru-ma*, *ca-cho*, *lha-no*, *ma-lha*, *ma-nha*, *má-xi-mo*, *ó-xi-do*, *ro-xo*, *tme--se*) e na qual, por isso, se não tem de atender aos elementos constitutivos dos vocábulos segundo a etimologia (*a-ba-li-e-nar*, *bi-sa-vô*, *de-sa--pa-re-cer*, *di-sú-ri-co*, *e-xâ-ni-me*, *hi-pe-ra-cú-sti-co*, *i-ná-bil*, *o-bo-val*, *su-bo-cu-lar*, *su-pe-rá-ci-do*), obedece a vários preceitos particulares, que rigorosamente cumpre seguir, quando se tem de fazer em fim de linha, mediante o emprego do hífen, a partição de uma palavra:

1º) São indivisíveis no interior de palavra, tal como inicialmente, e formam, portanto, sílaba para a frente as sucessões de duas consoantes que constituem perfeitos grupos, ou sejam (com exceção apenas de vários compostos cujos prefixos terminam em *b* ou *d*: *ab- legação, ad- ligar, sub- lunar* etc., em vez de *a- blegação, a- dligar, su- blunar* etc.) aquelas sucessões em que a primeira consoante é uma labial, uma velar, uma dental ou uma labiodental e a segunda um *l* ou um *r*: *a- blução, cele- brar, du- plicação, re- primir; a- clamar, de- creto, de- glutição, re- grado; a- tlético, cáte- dra, períme- tro; a- fluir, a- fricano, ne- vrose.*

2º) São divisíveis no interior da palavra as sucessões de duas consoantes que não constituem propriamente grupos e igualmente as sucessões de *m* ou *n*, com valor de nasalidade, e uma consoante: *ab- dicar, Ed- gardo, op- tar, sub- por, ab- soluto, ad- jetivo, af- ta, bet- samita, íp- silon, ob- viar; des- cer, dis- ciplina, flores- cer, nas- cer, res- cisão; ac- ne, ad- mirável. Daf- ne, diafrag- ma, drac- ma, ét- nico, rit- mo, sub- meter, am- nésico, interam- nense; bir- reme, cor- roer, pror- rogar; as- segurar, bis- secular, sos- segar; bissex- to, contex- to, ex- citar; atroz- mente, capaz- mente, infeliz- mente; am- bição, desen- ganar, en- xame, man- chu, Mân- lio* etc.

3º) As sucessões de mais de duas consoantes ou de *m* ou *n*, com o valor de nasalidade, e duas ou mais consoantes são divisíveis por um de dois meios: se nelas entra um dos grupos que são indivisíveis (de acordo com o preceito 1º), esse grupo forma sílaba para diante, ficando a consoante ou consoantes que o precedem ligadas à sílaba anterior; se nelas não entra nenhum desses grupos, a divisão dá-se sempre antes da última consoante. Exemplos dos dois casos: *cam- braia, ec- tlipse, em- blema, ex- plicar, in- cluir, ins- crição, subs- crever, trans- gredir, abs- tenção, disp- neia, inters- telar, lamb- dacismo, soes- ticial, Terp- sícore; tungs- tênio.*

4º) As vogais consecutivas que não pertencem a ditongos decrescentes (as que pertencem a ditongos deste tipo nunca se separam: *ai- roso, cadei- ra, insti- tui, ora- ção, sacris- tães, traves- sões*) podem, se a primeira delas não é *u* precedido de *g* ou *q*, e mesmo que sejam iguais, separar-se na escrita: *ala- úde, áre- as, ca- apeba, co- ordenar, do- er, flu- idez, perdo- as, vo- os*. O mesmo se aplica aos casos de contiguidade de ditongos, iguais ou diferentes, ou de ditongos e vogais: *cai- ais, caí- eis, ensai- os, flu- iu*.

5º) Os digramas *gu* e *qu*, em que o *u* se não pronuncia, nunca se separam da vogal ou ditongo imediato (*ne- gue, ne- guei*; *pe- que, pe- quei*), do mesmo modo que as combinações *gu* e *qu* em que o *u* se pronuncia: *á- gua, ambí- guo, averí- gueis*; *longín- quos, lo- quaz, quais- quer*.

6º) Na translineação de uma palavra composta ou de uma combinação de palavras em que há um hífen, ou mais, se a partição coincide com o final de um dos elementos ou membros, deve, por clareza gráfica, repetir-se o hífen no início da linha imediata: *ex- -alferes, serená- -los-emos* ou *serená-los- -emos, vice- -almirante*.

Base XXI

Das assinaturas e firmas

Para ressalva de direitos, cada qual poderá manter a escrita que, por costume ou registo legal, adote na assinatura do seu nome.

Com o mesmo fim, pode manter-se a grafia original de quaisquer firmas comerciais, nomes de sociedades, marcas e títulos que estejam inscritos em registo público.

ANEXO II

NOTA EXPLICATIVA DO ACORDO ORTOGRÁFICO DA LÍNGUA PORTUGUESA (1990)

1. Memória breve dos acordos ortográficos

A existência de duas ortografias oficiais da língua portuguesa, a lusitana e a brasileira, tem sido considerada como largamente prejudicial para a unidade intercontinental do português e para o seu prestígio no Mundo.

Tal situação remonta, como é sabido, a 1911, ano em que foi adoptada em Portugal a primeira grande reforma ortográfica, mas que não foi extensiva ao Brasil.

Por iniciativa da Academia Brasileira de Letras, em consonância com a Academia das Ciências de Lisboa, com o objectivo de se minimizarem os inconvenientes desta situação, foi aprovado em 1931 o primeiro acordo ortográfico entre Portugal e o Brasil. Todavia, por razões que não importa agora mencionar, este acordo não produziu, afinal, a tão desejada unificação dos dois sistemas ortográficos, facto que levou mais tarde à convenção ortográfica de 1943. Perante as divergências persistentes nos Vocabulários entretanto publicados pelas duas Academias, que punham em evidência os parcos resultados práticos do acordo de 1943, realizou-se, em 1945, em Lisboa, novo encontro entre representantes daquelas duas agremiações, o qual conduziu à chamada Convenção Ortográfica Luso-Brasileira de 1945. Mais uma vez, porém, este acordo não produziu os almejados efeitos, já que ele foi adoptado em Portugal, mas não no Brasil.

Em 1971, no Brasil, e em 1973, em Portugal, foram promulgadas leis que reduziram substancialmente as divergências ortográficas entre os dois países. Apesar destas louváveis iniciativas, continuavam a persistir, porém, divergências sérias entre os dois sistemas ortográficos.

No sentido de as reduzir, a Academia das Ciências de Lisboa e a Academia Brasileira de Letras elaboraram em 1975 um novo projecto de acordo que não foi, no entanto, aprovado oficialmente por razões de ordem política, sobretudo vigentes em Portugal.

E é neste contexto que surge o encontro do Rio de Janeiro, em Maio de 1986, e no qual se encontram, pela primeira vez na história da língua portuguesa, representante não apenas de Portugal e do Brasil mas também dos cinco novos países africanos lusófonos entretanto emergidos da descolonização portuguesa.

O Acordo Ortográfico de 1986, conseguido na reunião do Rio de Janeiro, ficou, porém, inviabilizado pela reacção polémica contra ele movida sobretudo em Portugal.

2. Razões do fracasso dos acordos ortográficos

Perante o fracasso sucessivo dos acordos ortográficos entre Portugal e o Brasil, abrangendo o de 1986 também os países lusófonos de África, importa reflectir seriamente sobre as razões de tal malogro.

Analisando sucintamente o conteúdo dos acordos de 1945 e de 1986, a conclusão que se colhe é a de que eles visavam impor uma unificação ortográfica absoluta.

Em termos quantitativos e com base em estudos desenvolvidos pela Academia das Ciências de Lisboa, com base num *corpus* de cerca de 110000 palavras, conclui-se que o Acordo de 1986 conseguia a unificação ortográfica em cerca de 99,5% do vocabulário geral da língua. Mas conseguia-a, sobretudo, à custa da simplificação drástica do sistema de acentuação gráfica, pela supressão dos acentos nas palavras proparoxítonas e paroxítonas, o que não foi bem aceito por uma parte substancial da opinião pública portuguesa.

Também o acordo de 1945 propunha uma unificação ortográfica

absoluta que rondava os 100% do vocabulário geral da língua. Mas tal unificação assentava em dois princípios que se revelaram inaceitáveis para os brasileiros:

a) Conservação das chamadas consoantes mudas ou não articuladas, o que correspondia a uma verdadeira restauração destas consoantes no Brasil, uma vez que elas tinham há muito sido abolidas.
b) Resolução das divergências de acentuação das vogais tônicas *e* e *o*, seguidas das consoantes nasais *m* e *n*, das palavras proparoxítonas (ou esdrúxulas) no sentido da prática portuguesa, que consistia em as grafar com acento agudo e não circunflexo, conforme a prática brasileira.

Assim se procurava, pois, resolver a divergência de acentuação gráfica de palavras como *António* e *Antônio*, *cómodo* e *cômodo*, *género* e *gênero*, *oxigénio* e *oxigênio* etc., em favor da generalização da acentuação com o diacrítico agudo. Esta solução estipulava, contra toda a tradição ortográfica portuguesa, que o acento agudo, nestes casos, apenas assinalava a tonicidade da vogal e não o seu timbre, visando assim resolver as diferenças de pronúncia daquelas mesmas vogais.

A inviabilização prática de tais soluções leva-nos à conclusão de que não é possível unificar por via administrativa divergências que assentam em claras diferenças de pronúncia, um dos critérios, aliás, em que se baseia o sistema ortográfico da língua portuguesa.

Nestas condições, há que procurar uma versão de unificação ortográfica que acautele mais o futuro do que o passado e que não receie sacrificar a simplificação também pretendida em 1986, em favor da máxima unidade possível. Com a emergência de cinco novos países lusófonos, os factores de desagregação da unidade essencial da língua portuguesa far-se-ão sentir com mais acuidade e também no domínio ortográfico. Neste sentido importa, pois, consagrar uma versão de unificação ortográfica que fixe e delimite as diferenças actualmente existentes e previna contra a desagregação ortográfica da língua portuguesa.

Foi, pois, tendo presentes estes objectivos, que se fixou o novo texto de unificação ortográfica, o qual representa uma versão menos forte do que as que foram conseguidas em 1945 e 1986. Mas ainda assim suficientemente forte para unificar ortograficamente cerca de 98% do vocabulário geral da língua.

3. Forma e substância do novo texto

O novo texto de unificação ortográfica agora proposto contém alterações de forma (ou estrutura) e de conteúdo, relativamente aos anteriores. Pode dizer-se, simplificando, que em termos de estrutura se aproxima mais do acordo de 1986, mas que em termos de conteúdo adopta uma posição mais conforme com o projecto de 1975, atrás referido.

Em relação às alterações de conteúdo, elas afectam sobretudo o caso das consoantes mudas ou não articuladas, o sistema de acentuação gráfica, especialmente das esdrúxulas, e a hifenação.

Pode dizer-se ainda que, no que respeita às alterações de conteúdo, de entre os princípios em que assenta a ortografia portuguesa, se privilegiou o critério fonético (ou da pronúncia) com um certo detrimento para o critério etimológico.

É o critério da pronúncia que determina, aliás, a supressão gráfica das consoantes mudas ou não articuladas, que se têm conservado na ortografia lusitana essencialmente por razões de ordem etimológica.

É também o critério da pronúncia que nos leva a manter um certo número de grafias duplas do tipo de *caráter* e *carácter*, *facto* e *fato*, *sumptuoso* e *suntuoso* etc.

É ainda o critério da pronúncia que conduz à manutenção da dupla acentuação gráfica do tipo de *económico* e *econômico*, *efémero* e *efê-*

mero, *género* e *gênero*, *génio* e *gênio*, ou de *bónus* e *bônus*, *sémen* e *sêmen*, *ténis* e *tênis*, ou ainda de *bebé* e *bebê*, ou *metro* e *metrô* etc.

Explicitam-se em seguida as principais alterações introduzidas no novo texto de unificação ortográfica, assim como a respectiva justificação.

4. Conservação ou supressão das consoantes *c*, *p*, *b*, *g*, *m* e *t* em certas sequências consonânticas (Base IV)

4.1. Estado da questão

Como é sabido, uma das principais dificuldades na unificação da ortografia da língua portuguesa reside na solução a adoptar para a grafia das consoantes *c* e *p*, em certas sequências consonânticas interiores, já que existem fortes divergências na sua articulação.

Assim, umas vezes, estas consoantes são invariavelmente proferidas em todo o espaço geográfico da língua portuguesa, conforme sucede em casos como *compacto*, *ficção*, *pacto*; *adepto*, *aptidão*, *núpcias*; etc.

Neste caso, não existe qualquer problema ortográfico, já que tais consoantes não podem deixar de grafar-se (v. Base IV, 1º a).

Noutros casos, porém, dá-se a situação inversa da anterior, ou seja, tais consoantes não são proferidas em nenhuma pronúncia culta da língua, como acontece em *acção*, *afectivo*, *direcção*; *adopção*, *exacto*, *óptimo*; etc. Neste caso existe um problema. É que na norma gráfica brasileira há muito estas consoantes foram abolidas, ao contrário do que sucede na norma gráfica lusitana, em que tais consoantes se conservam. A solução que agora se adopta (v. Base IV, 1º b) é a de as suprimir, por uma questão de coerência e de uniformização de critérios (vejam-se as razões de tal supressão adiante, em 4.2.).

As palavras afectadas por tal supressão representam 0,54% do vocabulário geral da língua, o que é pouco significativo em termos quantitativos (pouco mais de 600 palavras em cerca de 110000). Este número é, no entanto, qualitativamente importante, já que compreende vocábulos de uso muito frequente (como, por ex., *acção*, *actor*, *actual*, *colecção*, *colectivo*, *correcção*, *direcção*, *director*, *electricidade*, *factor*, *factura*, *inspector*, *lectivo*, *óptimo* etc.).

O terceiro caso que se verifica relativamente às consoantes *c* e *p* diz respeito à oscilação de pronúncia: a qual ocorre umas vezes no interior da mesma norma culta (cf., por ex., *cacto* ou *cato*, *dicção* ou *dição*, *sector* ou *setor* etc.), outras vezes entre normas cultas distintas (cf., por ex., *facto*, *receção* em Portugal, mas *fato*, *recepção* no Brasil).

A solução que se propõe para estes casos, no novo texto ortográfico, consagra a dupla grafia (v. Base IV, 1º c).

A estes casos de grafia dupla devem acrescentar-se as poucas variantes do tipo de *súbdito* e *súdito*, *subtil* e *sutil*, *amígdala* e *amídala*, *amnistia* e *anistia*, *aritmética* e *arimética*, nas quais a oscilação da pronúncia se verifica quanto às consoantes *b*, *g*, *m* e *t* (v. Base IV, 2º).

O número de palavras abrangidas pela dupla grafia é de cerca de 0,5% do vocabulário geral da língua, o que é pouco significativo (ou seja, pouco mais de 575 palavras em cerca de 110000), embora nele se incluam também alguns vocábulos de uso muito frequente.

4.2. Justificação da supressão de consoantes não articuladas (Base IV 1º b)

As razões que levaram à supressão das consoantes mudas ou não articuladas em palavras como *ação* (*acção*), *ativo* (*activo*), *diretor* (*director*), *ótimo* (*óptimo*) foram essencialmente as seguintes:

a) O argumento de que a manutenção de tais consoantes se justifica por motivos de ordem etimológica, permitindo assinalar melhor a similaridade com as palavras congéneres das outras línguas românicas, não tem consistência. Por um lado, várias consoantes etimológicas se foram perdendo na evolução das palavras ao longo da história da língua portuguesa. Vários são, por outro lado, os exemplos de palavras deste tipo, pertencentes a diferentes línguas românicas, que, embora provenientes do mesmo étimo latino, revelam incongruências quanto à conservação ou não das referidas consoantes.

É o caso, por exemplo, da palavra *objecto*, proveniente do latim *objectu-*, que até agora conservava o *c*, ao contrário do que sucede em francês (cf. *objet*) ou em espanhol (cf. *objeto*). Do mesmo modo *projecto* (de *projectu-*) mantinha até agora a grafia com *c*, tal como acontece em espanhol (cf. *proyecto*), mas não em francês (cf. *projet*). Nestes casos o italiano dobra a consoante, por assimilação (cf. *oggetto* e *progetto*). A palavra *vitória* há muito se grafa sem *c*, apesar do espanhol *victoria*, do francês *victoire* ou do italiano *vittoria*. Muitos outros exemplos se poderiam citar. Aliás, não tem qualquer consistência a ideia de que a similaridade do português com as outras línguas românicas passa pela manutenção de consoantes etimológicas do tipo mencionado. Confrontem-se, por exemplo, formas como as seguintes: port. *acidente* (do lat. *accidente-*), esp. *accidente*, fr. *accident*, it. *accidente*; port. *dicionário* (do lat. *dictionariu-*), esp. *diccionario*, fr. *dictionnaire*, it. *dizionario*; port. *ditar* (do lat. *dictare*), esp. *dictar*, fr. *dicter*, it. *dettare*; port. *estrutura* (de *structura-*), esp. *estructura*, fr. *structure*, it. *struttura*; etc.

Em conclusão, as divergências entre as línguas românicas, neste domínio, são evidentes, o que não impede, aliás, o imediato reconhecimento da similaridade entre tais formas. Tais divergências levantam dificuldades à memorização da norma gráfica, na aprendizagem destas línguas, mas não é com certeza a manutenção de consoantes não articuladas em português que vai facilitar aquela tarefa.

b) A justificação de que as ditas consoantes mudas travam o fechamento da vogal precedente também é de fraco valor, já que, por um lado, se mantêm na língua palavras com vogal pré-tónica aberta, sem a presença de qualquer sinal diacrítico, como em *corar*, *padeiro*, *oblação*, *pregar* (= fazer uma prédica) etc., e, por outro, a conservação de tais consoantes não impede a tendência para o ensurdecimento da vogal anterior em casos como *accionar*, *actual*, *actualidade*, *exactidão*, *tactear* etc.

c) É indiscutível que a supressão deste tipo de consoantes vem facilitar a aprendizagem da grafia das palavras em que elas ocorriam.

De fato, como é que uma criança de 6-7 anos pode compreender que em palavras como *concepção*, *excepção*, *recepção*, a consoante não articulada é um *p*, ao passo que em vocábulos como *correcção*, *direcção*, *objecção*, tal consoante é um *c*?

Só à custa de um enorme esforço de memorização que poderá ser vantajosamente canalizado para outras áreas da aprendizagem da língua.

d) A divergência de grafias existente neste domínio entre a norma lusitana, que teimosamente conserva consoantes que não se articulam em todo o domínio geográfico da língua portuguesa, e a norma brasileira, que há muito suprimiu tais consoantes, é incompreensível para os lusitanistas estrangeiros, nomeadamente para professores e estudantes de português, já que lhes cria dificuldades suplementares, nomeadamente na consulta dos dicionários, uma vez que as palavras em causa vêm em lugares diferentes da ordem alfabética, conforme apresentam ou não a consoante muda.

e) Uma outra razão, esta de natureza psicológica, embora nem por isso menos importante, consiste na convicção de que não haverá unificação ortográfica da língua portuguesa se tal disparidade não for resolvida.

f) Tal disparidade ortográfica só se pode resolver suprimindo da escrita as consoantes não articuladas, por uma questão de coerência, já que a pronúncia as ignora, e não tentando impor a sua grafia àqueles que há muito as não escrevem, justamente por elas não se pronunciarem.

4.3. Incongruências aparentes

A aplicação do princípio, baseado no critério da pronúncia, de que as consoantes *c* e *p* em certas sequências consonânticas se suprimem, quando não articuladas, conduz a algumas incongruências aparentes, conforme sucede em palavras como *apocalítico* ou *Egito* (sem *p*, já que este não se pronuncia), a par de *apocalipse* ou *egípcio* (visto que aqui o *p* se articula), *noturno* (sem *c*, por este ser mudo), ao lado de *noctívago* (com *c*, por este se pronunciar) etc.

Tal incongruência é apenas aparente. De facto, baseando-se a conservação ou supressão daquelas consoantes no critério da pronúncia, o que não faria sentido era mantê-las, em certos casos, por razões de parentesco lexical. Se se abrisse tal excepção, o utente, ao ter que escrever determinada palavra, teria que recordar previamente, para não cometer erros, se não haveria outros vocábulos da mesma família que se escrevessem com este tipo de consoante.

Aliás, divergências ortográficas do mesmo tipo das que agora se propõem foram já aceites nas Bases de 1945 (v. Base VI, último parágrafo), que consagraram grafias como *assunção* ao lado de *assumptivo*, *cativo*, *captivo*, a par de *captor* e *captura*, *dicionário*, mas *dicção* etc. A razão então aduzida foi a de que tais palavras entraram e se fixaram na língua em condições diferentes. A justificação da grafia com base na pronúncia é tão nobre como aquela razão.

4.4. Casos de dupla grafia (Base IV, 1º c,d, e 2º)

Sendo a pronúncia um dos critérios em que assenta a ortografia da língua portuguesa, é inevitável que se aceitem grafias duplas naqueles casos em que existem divergências de articulação quanto às referidas consoantes *c* e *p* e ainda em outros casos de menor significado. Torna-se, porém, praticamente impossível enunciar uma regra clara e abrangente dos casos em que há oscilação entre o emudecimento e a prolação daquelas consoantes, já que todas as sequências consonânticas enunciadas, qualquer que seja a vogal precedente, admitem as duas alternativas: *cacto* e *cato*, *caracteres* e *carateres*, *dicção* e *dição*, *facto* e *fato sector* e *setor*; *ceptro* e *cetro*; *concepção* e *conceção*, *recepção* e *receção*; *assumpção* e *assunção*, *peremptório* e *perentório*, *sumptuoso* e *suntuoso*; etc.

De um modo geral pode dizer-se que, nestes casos, o emudecimento da consoante (excepto em *dicção*, *facto*, *sumptuoso* e poucos mais) se verifica, sobretudo, em Portugal e nos países africanos, enquanto no Brasil há oscilação entre a prolação e o emudecimento da mesma consoante.

Também os outros casos de dupla grafia (já mencionados em 4.1.), do tipo de *súbdito* e *súdito*, *subtil* e *sutil*, *amígdala* e *amídala*, *omnisciente* e *onisciente*, *aritmética* e *arimética*, muito menos relevantes em termos quantitativos do que os anteriores, se verificam sobretudo no Brasil.

Trata-se, afinal, de formas divergentes, isto é, do mesmo étimo. As palavras sem consoante, mais antigas e introduzidas na língua por via popular, foram já usadas em Portugal e encontram-se nomeadamente em escritores dos séculos XVI e XVII.

Os dicionários da língua portuguesa, que passarão a registar as duas formas, em todos os casos de dupla grafia, esclarecerão, tanto quanto possível, sobre o alcance geográfico e social desta oscilação de pronúncia.

5. Sistema de acentuação gráfica (Bases VIII a XIII)

5.1. Análise geral da questão

O sistema de acentuação gráfica do português actualmente em vigor, extremamente complexo e minucioso, remonta essencialmente à Reforma Ortográfica de 1911.

Tal sistema não se limita, em geral, a assinalar apenas a tonicidade das vogais sobre as quais recaem os acentos gráficos, mas distingue também o timbre destas.

Tendo em conta as diferenças de pronúncia entre o português europeu e o do Brasil, era natural que surgissem divergências de acentuação gráfica entre as duas realizações da língua.

Tais divergências têm sido um obstáculo à unificação ortográfica do português.

É certo que em 1971, no Brasil, e em 1973, em Portugal, foram dados alguns passos significativos no sentido da unificação da acentuação gráfica, como se disse atrás. Mas, mesmo assim, subsistem divergências importantes neste domínio, sobretudo no que respeita à acentuação das paroxítonas.

Não tendo tido viabilidade prática a solução fixada na Convenção Ortográfica de 1945, conforme já foi referido, duas soluções eram possíveis para se procurar resolver esta questão.

Uma era conservar a dupla acentuação gráfica, o que constituía sempre um espinho contra a unificação da ortografia.

Outra era abolir os acentos gráficos, solução adoptada em 1986, no Encontro do Rio de Janeiro.

Esta solução, já preconizada no I Simpósio Luso-Brasileiro sobre a língua portuguesa Contemporânea, realizado em 1967 em Coimbra, tinha sobretudo a justificá-la o facto de a língua oral preceder a língua escrita, o que leva muitos utentes a não empregarem na prática os acentos gráficos, visto que não os consideram indispensáveis à leitura e compreensão dos textos escritos.

A abolição dos acentos gráficos nas palavras proparoxítonas e paroxítonas, preconizada no Acordo de 1986, foi, porém, contestada por uma larga parte da opinião pública portuguesa, sobretudo por tal medida ir contra a tradição ortográfica e não tanto por estar contra a prática ortográfica.

A questão da acentuação gráfica tinha, pois, de ser repensada.

Neste sentido, desenvolveram-se alguns estudos e fizeram-se vários levantamentos estatísticos com o objectivo de se delimitarem melhor e quantificarem com precisão as divergências existentes nesta matéria.

5.2 Casos de dupla acentuação

5.2.1. Nas proparoxítonas (Base XI)

Verificou-se assim que as divergências, no que respeita às proparoxítonas, se circunscrevem praticamente, como já foi destacado atrás, ao caso das vogais tónicas *e* e *o*, seguidas das consoantes nasais *m* e *n*, com as quais aquelas não formam sílaba (v. Base XI, 3º).

Estas vogais soam abertas em Portugal e nos países africanos, recebendo, por isso, acento agudo, mas são do timbre fechado em grande parte do Brasil, grafando-se por conseguinte com acento circunflexo: *académico/acadêmico*, *cómodo/cômodo*, *efémero/efêmero*, *fenómeno/fenômeno*, *génio/gênio*, *tónico/tônico* etc.

Existe uma ou outra excepção a esta regra, como, por exemplo, *cômoro* e *sêmola*, mas estes casos não são significativos.

Costuma, por vezes, referir-se que o *a* tónico das proparoxítonas, quando seguido de *m* ou *n* com que não forma sílaba, também está sujeito à referida divergência de acentuação gráfica. Mas tal não acontece, porém, já que o seu timbre soa praticamente sempre fechado nas pronúncias cultas da língua, recebendo, por isso, acento circunflexo: *âmago*, *ânimo*, *botânico*, *câmara*, *dinâmico*, *gerânio*, *pânico*, *pirâmide*.

As únicas excepções a este princípio são os nomes próprios de origem grega *Dánae/Dânae* e *Dánao/Dânao*.

Note-se que se as vogais *e* e *o*, assim como *a*, formam sílaba com as consoantes *m* ou *n*, o seu timbre é sempre fechado em qualquer pronúncia culta da língua, recebendo, por isso, acento circunflexo: *êmbolo*, *amêndoa*, *argênteo*, *excêntrico*, *têmpera*; *anacreôntico*, *cômputo*, *recôndito*; *cânfora*, *Grândola*, *Islândia*, *lâmpada*, *sonâmbulo* etc.

5.2.2. Nas paroxítonas (Base IX)

Também nos casos especiais de acentuação das paroxítonas ou graves (v. Base IX, 2º), algumas palavras que contêm as vogais tônicas *e* e *o* em final de sílaba, seguidas das consoantes nasais *m* e *n*, apresentam oscilação de timbre, nas pronúncias cultas da língua.

Tais palavras são assinaladas com acento agudo, se o timbre da vogal tónica é aberto, ou com acento circunflexo, se o timbre é fechado: *fémur* ou *fêmur*, *Fénix* ou *Fênix*, *ónix* ou *ônix*, *sémen* ou *sêmen*, *xénon* ou *xênon*; *bónus* ou *bônus*, *ónus* ou *ônus*, *pónei* ou *pônei*, *ténis* ou *tênis*, *Vénus* ou *Vênus*; etc. No total, estes são pouco mais de uma dúzia de casos.

5.2.3. Nas oxítonas (Base VIII)

Encontramos igualmente nas oxítonas (v. Base VIII, 1º a, *Obs.*) algumas divergências de timbre em palavras terminadas em *e* tónico, sobretudo provenientes do francês. Se esta vogal tónica soa aberta, recebe acento agudo; se soa fechada, grafa-se com acento circunflexo. Também aqui os exemplos pouco ultrapassam as duas dezenas: *bebé* ou *bebê*, *carate* ou *caratê*, *croché* ou *crochê*, *guiché* ou *guichê*, *matiné* ou *matinê*, *puré* ou *purê*; etc. Existe também um caso ou outro de oxítonas terminadas em *o* ora aberto ora fechado, como sucede em *cocó* ou *cocô*, *ró* ou *rô*.

A par de casos como este há formas oxítonas terminadas em *o* fechado, às quais se opõem variantes paroxítonas, como acontece em *judô* e *judo*, *metrô* e *metro*, mas tais casos são muito raros.

5.2.4. Avaliação estatística dos casos de dupla acentuação gráfica

Tendo em conta o levantamento estatístico que se fez na Academia das Ciências de Lisboa, com base no já referido *corpus* de cerca de 110000 palavras do vocabulário geral da língua, verificou-se que os citados casos de dupla acentuação gráfica abrangiam aproximadamente 1,27% (cerca de 1400 palavras). Considerando que tais casos se encontram perfeitamente delimitados, como se referiu atrás, sendo assim possível enunciar a regra de aplicação, optou-se por fixar a dupla acentuação gráfica como a solução menos onerosa para a unificação ortográfica da língua portuguesa.

5.3. Razões da manutenção dos acentos gráficos nas proparoxítonas e paroxítonas

Resolvida a questão dos casos de dupla acentuação gráfica, como se disse atrás, já não tinha relevância o principal motivo que levou em 1986 a abolir os acentos nas palavras proparoxítonas e paroxítonas.

Em favor da manutenção dos acentos gráficos nestes casos, ponderaram-se, pois, essencialmente as seguintes razões:

a) Pouca representatividade (cerca de 1,27%) dos casos de dupla acentuação.

b) Eventual influência da língua escrita sobre a língua oral, com a possibilidade de, sem acentos gráficos, se intensificar a tendência para a paroxitonia, ou seja, deslocação do acento tónico da antepenúltima para a penúltima sílaba, lugar mais frequente de colocação do acento tónico em português.
c) Dificuldade em apreender correctamente a pronúncia de termos de âmbito técnico e científico, muitas vezes adquiridos através da língua escrita (leitura).
d) Dificuldades causadas, com a abolição dos acentos, à aprendizagem da língua, sobretudo quando esta se faz em condições precárias, como no caso dos países africanos, ou em situação de auto-aprendizagem.
e) Alargamento, com a abolição dos acentos gráficos, dos casos de homografia, do tipo de *análise* (s) / *analise* (v.), *fábrica* (s.) / *fabrica* (v.), *secretária* (s.) / *secretaria* (s. ou v.), *vária* (s.) / *varia* (v.) etc., casos que, apesar de dirimíveis pelo contexto sintáctico, levantariam por vezes algumas dúvidas e constituiriam sempre problema para o tratamento informatizado do léxico.
f) Dificuldade em determinar as regras de colocação do acento tónico em função da estrutura mórfica da palavra. Assim, as proparoxítonas, segundo os resultados estatísticos obtidos da análise de um *corpus* de 25000 palavras, constituem 12%. Destes 12%, cerca de 30% são falsas esdrúxulas (cf. *génio*, *água* etc.). Dos 70% restantes, que são as verdadeiras proparoxítonas (cf. *cómodo*, *género* etc.), aproximadamente 29% são palavras que terminam em *-ico* / *-ica* (cf. *ártico*, *económico*, *módico*, *prático* etc.). Os restantes 41% de verdadeiras esdrúxulas distribuem-se por cerca de duzentas terminações diferentes, em geral de carácter erudito (cf. *espírito*, *ínclito*, *púlpito*; *filólogo*; *filósofo*; *esófago*; *epíteto*; *pássaro*; *pêsames*; *facílimo*; *lindíssimo*; *parêntesis*; etc.).

5.4. Supressão de acentos gráficos em certas palavras oxítonas e paroxítonas (Bases VIII, IX e X)

5.4.1. Em casos de homografia (Bases VIII, 3º, e IX, 9º e 10º)

O novo texto ortográfico estabelece que deixem de se acentuar graficamente palavras do tipo de *para (á)*, flexão de *parar*, *pelo (ê)*, substantivo, *pelo (é)*, flexão de *pelar* etc., as quais são homógrafas, respectivamente, das proclíticas *para*, preposição, *pelo*, contracção de *per* e *lo* etc.

As razões por que se suprime, nestes casos, o acento gráfico são as seguintes:

a) Em primeiro lugar, por coerência com a abolição do acento gráfico já consagrada pelo Acordo de 1945, em Portugal, e pela Lei nº 5765, de 1971.12.18, no Brasil, em casos semelhantes, como, por exemplo: *acerto (ê)*, substantivo, e *acerto (é)*, flexão de *acertar*; *acordo (ô)*, substantivo e *acordo (ó)*, flexão de *acordar*; *cor (ô)*, substantivo, e *cor (ó)*, elemento da locução de *cor*; *sede (ê)* e *sede (é)*, ambos substantivos; etc.

b) Em segundo lugar, porque, tratando-se de pares cujos elementos pertencem a classes gramaticais diferentes, o contexto sintáctico permite distinguir claramente tais homógrafas.

5.4.2. Em paroxítonas com os ditongos ei e oi na sílaba tónica (Base IX, 3º)

O novo texto ortográfico propõe que não se acentuem graficamente os ditongos *ei* e *oi* tónicos das palavras paroxítonas. Assim, palavras como *assembleia*, *boleia*, *ideia*, que na norma gráfica brasileira se escrevem com acento agudo, por o ditongo soar aberto, passarão a escrever-se sem acento, tal como *aldeia*, *baleia*, *cheia* etc.

Do mesmo modo, palavras como *comboio*, *dezoito*, *estroina* etc., em que o timbre do ditongo oscila entre a abertura e o fechamento, oscilação que se traduz na facultatividade do emprego do acento agudo no Brasil, passarão a grafar-se sem acento.

A generalização da supressão do acento nestes casos justifica-se não apenas por permitir eliminar uma diferença entre a prática ortográfica brasileira e a lusitana, mas ainda pelas seguintes razões:

a) Tal supressão é coerente com a já consagrada eliminação do acento em casos de homografia heterofónica (v. Base IX, 10º, e, neste texto atrás, 5.4.1.), como sucede, por exemplo, em *acerto*, substantivo e *acerto*, flexão de *acertar*, *acordo*, substantivo, e *acordo*, flexão de *acordar*, *fora*, flexão de *ser* e *ir*, e *fora*, advérbio etc.
b) No sistema ortográfico português não se assinala, em geral, o timbre das vogais tónicas *a*, *e*, e *o* das palavras paroxítonas, já que, a língua portuguesa se caracteriza pela sua tendência para a paroxitonia. O sistema ortográfico não admite, pois, a distinção entre, por exemplo *cada (â)* e *fada (á)*, *para (â)* e *tara (á)*; *espelho (ê)* e *velho (é)*, *janela (é)* e *janelo (ê)*, *escrevera (ê)*, flexão de *escrever*, e *Primavera (é)*; *moda (ó)* e *toda (ô)*, *virtuosa (ó)* e *virtuoso (ô)*; etc.

Então, se não se torna necessário, nestes casos, distinguir pelo acento gráfico o timbre da vogal tónica, por que se há-de usar o diacrítico para assinalar a abertura dos ditongos *ei* e *oi* nas paroxítonas, tendo em conta que o seu timbre nem sempre é uniforme e a presença do acento constituiria um elemento perturbador da unificação ortográfica?

5.4.3. Em paroxítonas do tipo de abençoo, enjoo, voo etc. (Base IX, 8º)

Por razões semelhantes às anteriores, o novo texto ortográfico consagra também a abolição do acento circunflexo, vigente no Brasil, em palavras paroxítonas como *abençoo*, flexão de *abençoar*, *enjoo*, substantivo e flexão de *enjoar*, *moo*, flexão de *moer*, *povoo*, flexão de *povoar*, *voo*, substantivo e flexão de *voar* etc.

O uso do acento circunflexo não tem aqui qualquer razão de ser, já que ele ocorre em palavras paroxítonas cuja vogal tónica apresenta a mesma pronúncia em todo o domínio da língua portuguesa. Além de não ter, pois, qualquer vantagem nem justificação, constitui um factor que perturba a unificação do sistema ortográfico.

5.4.4. Em formas verbais com *u* e *ui* tónicos, precedidos de *g* e *q* (Base X, 7º)

Não há justificação para se acentuarem graficamente palavras como *apazigue*, *arguem* etc., já que estas formas verbais são paroxítonas e a vogal *u* é sempre articulada, qualquer que seja a flexão do verbo respectivo.

No caso de formas verbais como *argui*, *delinquis* etc., também não há justificação para o acento, pois se trata de oxítonas terminadas no ditongo tónico *ui*, que como tal nunca é acentuado graficamente.

Tais formas só serão acentuadas se a sequência *ui* não formar ditongo e a vogal tónica for *i*, como, por exemplo, *arguí* (1ª pessoa do singular do pretérito perfeito do indicativo).

6. Emprego do hífen (Bases XV a XVII)

6.1. Estado da questão

No que respeita ao emprego do hífen, não há propriamente divergências assumidas entre a norma ortográfica lusitana e a brasileira. Ao compulsarmos, porém, os dicionários portugueses e brasileiros e ao termos, por exemplo, jornais e revistas, deparam-se-nos muitas oscilações e um largo número de formações vocabulares com grafia dupla, ou seja, com hífen e sem hífen, o que aumenta desmensurada e desnecessariamente a entradas lexicais dos dicionários. Estas oscilações verificam-se sobretudo nas formações por prefixação e na chamada recomposição, ou seja, em formações com pseudoprefixos de origem grega e latina.

Eis alguns exemplos de tais oscilações: *ante-rosto* e *anterrosto*, *co-educação* e *coeducação*, *pré-frontal* e *prefrontal*, *sobre-saia* e *sobressaia*, *sobre-saltar* e *sobressaltar*; *aero-espacial* e *aeroespacial*, *auto-aprendizagem* e *autoapredizagem*, *agro-industrial* e *agroindustrial*, *agro-pecuária* e *agropecuária*, *alvéolo-dental* e *alveolodental*, *bolbo-raquidiano* e *bolbor-raquidiano*, *geo-história* e *geoistória*, *micro-onda* e *microonda*; etc.

Estas oscilações são, sem dúvida, devidas a uma certa ambiguidade e falta de sistematização das regras que sobre esta matéria foram consagradas no texto de 1945. Tornava-se, pois, necessário reformular tais regras de modo mais claro, sistemático e simples. Foi o que se tentou fazer em 1986.

A simplificação e redução operadas nessa altura, nem sempre bem compreendidas, provocaram igualmente polémica na opinião pública portuguesa, não tanto por uma ou outra incongruência resultante da aplicação das novas regras, mas sobretudo por alterarem bastante a prática ortográfica neste domínio.

A posição que agora se adopta, muito embora tenha tido em conta as críticas fundamentadas ao texto de 1986, resulta, sobretudo, do estudo do uso do hífen nos dicionários portugueses e brasileiros, assim como em jornais e revistas.

6.2. O hífen nos compostos (Base XV)

Sintetizando, pode dizer-se que, quanto ao emprego do hífen nos compostos, locuções e encadeamentos vocabulares, se mantém o que foi estatuído em 1945, apenas se reformulando as regras de modo mais claro, sucinto e simples.

De facto, neste domínio não se verificam praticamente divergências nem nos dicionários nem na imprensa escrita.

6.3. O hífen nas formas derivadas (Base XVI)

Quanto ao emprego do hífen nas formações por prefixação e também por recomposição, isto é, nas formações com pseudoprefixos de origem grega ou latina, apresenta-se alguma inovação. Assim, algumas regras são formuladas em termos contextuais, como sucede nos seguintes casos:

a) Emprega-se o hífen quando o segundo elemento da formação começa por *h* ou pela mesma vogal ou consoante com que termina o prefixo ou pseudoprefixo (por ex. *anti-higiénico*, *contra-almirante*, *hiper-resistente*).
b) Emprega-se o hífen quando o prefixo ou falso prefixo termina em *m* ou *n* e o segundo elemento começa por vogal, *m* ou *n* (por ex. *circum-murado*, *pan-africano*).

As restantes regras são formuladas em termos de unidades lexicais, como acontece com oito delas (*ex-*, *sota-* e *soto-*, *vice-* e *vizo-*; *pós-*, *pré-* e *pró-*).

Noutros casos, porém, uniformiza-se o não emprego do hífen, do modo seguinte:

a) Nos casos em que o prefixo ou o pseudoprefixo termina em vogal e o segundo elemento começa por *r* ou *s*, estas consoantes dobram-se, como já acontece com os termos técnicos e científicos (por ex. *antirreligioso*; *microssistema*).
b) Nos casos em que o prefixo ou pseudoprefixo termina em vogal e o segundo elemento começa por vogal diferente daquela, as duas formas aglutinam-se, sem hífen, como já sucede igualmente no vocabulário científico e técnico (por ex. *antiaéreo*, *aeroespacial*).

6.4. O hífen na ênclise e tmese (Base XVII)

Quanto ao emprego do hífen na ênclise e na tmese mantêm-se as regras de 1945, excepto no caso das formas *hei de, hás de, há de* etc., em que passa a suprimir-se o hífen. Nestas formas verbais o uso do hífen não tem justificação, já que a preposição *de* funciona ali como mero elemento de ligação ao infinitivo com que se forma a perífrase verbal (cf. *hei de ler* etc.), na qual *de* é mais proclítica do que apoclítica.

7. Outras alterações de conteúdo

7.1. Inserção do alfabeto (Base I)

Uma inovação que o novo texto de unificação ortográfica apresenta, logo na Base I, é a inclusão do alfabeto, acompanhado das designações que usualmente são dadas às diferentes letras. No alfabeto português passam a incluir-se também as letras *k*, *w* e *y*, pelas seguintes razões:

a) Os dicionários da língua já registam estas letras, pois existe um razoável número de palavras do léxico português iniciado por elas.
b) Na aprendizagem do alfabeto é necessário fixar qual a ordem que aquelas letras ocupam.
c) Nos países africanos de língua oficial portuguesa existem muitas palavras que se escrevem com aquelas letras.

Apesar da inclusão no alfabeto das letras *k*, *w* e *y*, mantiveram-se, no entanto, as regras já fixadas anteriormente, quanto ao seu uso restritivo, pois existem outros grafemas com o mesmo valor fónico daquelas. Se, de facto, se abolisse o uso restritivo daquelas letras, introduzir-se-ia no sistema ortográfico do português mais um factor de perturbação, ou seja, a possibilidade de representar, indiscriminadamente, por aquelas letras fonemas que já são transcritos por outras.

7.2. Abolição do trema (Base XIV)

No Brasil, só com a Lei nº 5765, de 1971.12.18, o emprego do trema foi largamente restringido, ficando apenas reservado às sequência *gu* e *qu* seguidas de *e* ou *i*, nas quais *u* se pronuncia (cf. *aguentar, arguente, eloquente, equestre* etc.).

O novo texto ortográfico propõe a supressão completa do trema, já acolhida, aliás, no Acordo de 1986, embora não figurasse explicitamente nas respectivas bases. A única ressalva, neste aspecto, diz respeito a palavras derivadas de nomes próprios estrangeiros com trema (cf. *mülleriano*, de *Müller* etc.).

Generalizar a supressão do trema é eliminar mais um factor que perturba a unificação da ortografia portuguesa.

8. Estrutura e ortografia do novo texto

Na organização do novo texto de unificação ortográfica optou-se por conservar o modelo de estrutura já adoptado em 1986. Assim, houve a preocupação de reunir, numa mesma base, matéria afim, dispersa por diferentes bases de textos anteriores, donde resultou a redução destas a vinte e uma.

Através de um título sucinto, que antecede cada base, dá-se conta do conteúdo nela consagrado. Dentro de cada base adoptou-se um sistema de numeração (tradicional) que permite uma melhor e mais clara arrumação da matéria aí contida.

V CONFERÊNCIA DOS CHEFES DE ESTADO E DE GOVERNO DA COMUNIDADE DOS PAÍSES DE LÍNGUA PORTUGUESA

São Tomé, 26 e 27 de Julho de 2004

ACORDO DO SEGUNDO PROTOCOLO MODIFICATIVO AO ACORDO ORTOGRÁFICO DA LÍNGUA PORTUGUESA

A República de Angola, a República Federativa do Brasil, a República do Cabo Verde, a República da Guiné-Bissau, a República de Moçambique, a República Portuguesa, a República Democrática de São Tomé e Príncipe e a República Democrática de Timor-Leste:

Considerando que, até à presente data, o Acordo Ortográfico da Língua Portuguesa, assinado em Lisboa, a 16 de Dezembro de 1990, ainda não pôde entrar em vigor por não ter sido ratificado por todas as partes contratantes;

Tendo em conta que, desde a IV Conferência de Chefes de Estado e de Governo da Comunidade de Países de Língua Portuguesa (CPLP), ocorrida em Brasília a 31 de Julho e 1 de Agosto de 2002, se adoptou a prática, nos Acordos da CPLP, de estipular a entrada em vigor com o depósito do terceiro instrumento de ratificação;

Recordando que, em 2002, por ocasião da IV Conferência de Chefes de Estado e de Governo, a República Democrática de Timor-Leste aderiu à CPLP, tornando-se o oitavo membro da Comunidade;

Evocando a recomendação dos Ministros da Educação da CPLP que, reunidos, em Fortaleza, a 26 de Maio de 2004, na V Reunião de Ministros da Educação, reiteraram ser o Acordo Ortográfico um dos fundamentos da Comunidade e decidiram elevar, à consideração da V Conferência de Chefes de Estado e de Governo da CPLP, a proposta de se aprovar o Protocolo Modificativo ao Acordo Ortográfico da Língua Portuguesa que, além de permitir a adesão de Timor-Leste, define a entrada em vigor do Acordo com o depósito dos instrumentos de ratificação por três países signatários;

DECIDEM as partes:

1. Dar a seguinte nova redacção ao Artigo 3º do Acordo Ortográfico:

Artigo 3º "O Acordo Ortográfico da Língua Portuguesa entrará em vigor com o terceiro depósito de instrumento de ratificação junto da República Portuguesa".

2. Acrescentar o seguinte artigo ao Acordo Ortográfico:

Artigo 5º "O presente Acordo estará aberto à adesão da República Democrática de Timor-Leste".

3. Estabelecer que o presente Protocolo Modificativo entrará em vigor no primeiro dia do mês seguinte à data em que três Estados membros da CPLP tenham depositado, junto da República Portuguesa, os respectivos instrumentos de ratificação ou documentos equivalentes que os vinculem ao Protocolo.

Feito e assinado em São Tomé, a 25 de Julho de 2004.

Pelo Governo da República de Angola
Pelo Governo da República Federativa do Brasil
Pelo Governo da República de Cabo Verde
Pelo Governo da República da Guiné-Bissau
Pelo Governo da República de Moçambique
Pelo Governo da República Portuguesa
Pelo Governo da República Democrática
de São Tomé e Príncipe
Pelo Governo da República Democrática de Timor-Leste

IV

Chave prática do uso do hífen

Primeiro elemento				Segundo elemento
aero agro ('terra') alfa ante anti arqui auto beta bi bio contra di eletro entre	extra foto gama geo giga hetero hidro hipo homo ili/ilio infra intra iso lacto lipo	macro maxi mega meso micro mini mono morfo multi nefro neo neuro paleo peri pluri	poli proto pseudo psico retro semi sobre supra tele tetra tri ultra	a) iniciado por vogal igual à vogal final do 1º elemento b) iniciado por *h*
ab	ob	sob	sub	iniciado por *b*, *h*, *r*
co ('com')				iniciado por *h*
ciber hiper	inter	super	nuper	iniciado por *h*, *r*
ad				iniciado por *d*, *h*, *r*
pan				a) iniciado por vogal b) iniciado por *h*, *m*, *n* [diante de *b* e *p* passa a *pam*]
circum				a) iniciado por vogal b) iniciado por *h*, *m*, *n* [aceita formas aglutinadas como *circu* e *circun*]
além aquém ex ("cessamento" ou "estado anterior") recém sem sota soto vice				qualquer (sempre)
pós	pré	pró		sempre que conservem autonomia vocabular

Observações:

a) Emprega-se o hífen, nas palavras compostas por sufixação, somente naquelas terminadas por sufixos de origem tupi-guarani, como *açu*, *guaçu* e *mirim*, quando o primeiro elemento termina em vogal acentuada graficamente ou quando a pronúncia exige a distinção gráfica dos dois elementos: *amoré-guaçu*, *anajá-mirim*, *capim-açu*. [O Vocabulário Ortográfico da Academia Brasileira de Letras em sua próxima edição deve padronizar as palavras compostas com tais sufixações.]

b) Não se emprega o hífen em palavras cujo prefixo ou elemento antepositivo termina em vogal e o segundo elemento começa por *r* ou *s*, que se duplicam: *antirreligioso*, *antissemita*, *contrarregra*, *cosseno*, *extrarregular*, *infrassom*, *minissaia*; *eletrossiderurgia*, *microssistema*, *microrradiografia*.

c) Não se emprega o hífen em palavras cujo prefixo ou elemento antepositivo termina em vogal e o segundo elemento começa por vogal diferente: *antiaéreo*, *coeducação*, *extraescolar*, *aeroespacial*, *autoestrada*, *agroindustrial*, *hidroelétrico*. [A regra do *co* está referida no quadro.]

d) *euro*, *indo*, *sino*, *franco*, *anglo*, *luso*, *afro*, *ásio* etc. escrevem-se sem hífen quando funcionam adjetivamente como elemento mórfico (*eurocomunista*, *afrolatria*, *francofonia*, *sinofilia*, *lusofilia*); quando se trata da soma de duas ou mais identidades, o hífen tem de ser empregado: *euro-africano*, *euro-afro-americano*, *indo-português*, *anglo-americano*, *franco-suíço*, *sino-japonês*, *ásio-europeu* etc.

e) No caso de *bem*, sugerimos manter as formas que os dicionários registram habitualmente, e só fazer alterações nas palavras que o texto do Acordo citou, estendendo, então, essa ortografia aos seus cognatos: *benfazejo* (*benfazer*), *benfeito*, *benfeitor*, *benquerença* (*benquerer*, *benquerido*). No caso de *mal*, o Acordo diz que pode aglutinar-se ou não. Fiquemos, pois, com a tradição lexicográfica. *Mal* como elemento (adv.) só recebe hífen diante de vogal (*mal-afamado*), *h* (*mal-humorado*) e *l* (*mal-limpo*). Quando *mal* significa "doença", há sempre hífen (*mal-caduco*, *mal-canadense*).

f) O Acordo é lacunar em relação ao emprego ou não do hífen em palavras formadas com os prefixos *ab-*, *ad-*, *ob-*, *sob-* e *sub-* seguidos da consoante *r*. Esses são os únicos casos, no português, em que o *r* dos grupos *br* ou *dr* não representa uma vibrante velar (como, p. ex., em *abraço*). Será preferível, por esse motivo, manter a grafia consagrada (*ab-rogar*, *ad-renal*, *ob-rogar*, *sub-região* etc.), por se tratar de duas sílabas separadas, com o *b* ou *d* fechando a sílaba anterior e o *r* abrindo a seguinte.

g) O Acordo estatui que, nos casos de formações por prefixação, recomposição e sufixação, se empregue o hífen, quando o primeiro elemento termine por letra igual à que inicia o segundo elemento (Base XVI 1º, b). Tal regra deve ser mantida em todos os casos em que ocorrer esse encontro, mas não com o *pre* átono, pois o texto da Base XVI, 1º, f diz que "as formas átonas aglutinam-se com o elemento seguinte"; portanto, *preenchimento*, *impreenchível* etc. Sugerimos que tal modo de agir se estenda ao prefixo *re-*, ao se encontrar com palavras iniciadas por *e*, além do mais pelo fato de estes dois serem os únicos prefixos a que se pode justapor o prefixo **in-**, o que criaria formações como, por exemplo, *re-elegível*, *irre-elegível* etc. Em tais oportunidades, o hífen preconizado na Base XVI 1º, b) não deverá ser empregado: *reeleger*, *irreelegível* etc.

Bibliografia

Bechara, Evanildo. *Moderna Gramática Portuguesa*. 37ª ed. revista e ampliada. Rio de Janeiro: Lucerna, 1999.

Bellard, Hugo. *Guia Prático de Conjugação de Verbos*. São Paulo: Cultrix, 1980.

Borba, Francisco da Silva. *Pequeno Dicionário de Lingüística Moderna*. 2ª ed. São Paulo, Editora. Nacional, 1976.

Câmara Jr., Joaquim Mattoso. *Dicionário de Filologia e Gramática*. 5ª ed. Rio de Janeiro: J. Ozon Editor, s.d.

Cunha, Celso. *Nova Gramática do Português Contemporâneo*. Rio de Janeiro: Nova Fronteira, 1985.

Faraco, Carlos Alberto. *Escrita e Alfabetização*. São Paulo: Contexto, 1992.

Fonseca, Fernando Venâncio Peixoto. *O Português Entre as Línguas do Mundo*. Coimbra: Livraria Almedina, 1985.

Houaiss, Antônio. *O Português do Brasil (Pequena Enciclopédia da Cultura Brasileira)*. Rio de Janeiro: Unibrade, 1985.

Giordani, Mário Curtis. *História de Roma: Antiguidade Clássica II*. Petrópolis: Vozes, 1983.

Holanda, Aurélio Buarque de. *Novo Dicionário da Língua Portuguesa*. Rio de Janeiro: Nova Fronteira, s/d.

LX Conjugator, http://lxconj.di.fc.ul.pt/

Marques, A. H. de Oliveira. *História de Portugal*. 8ª ed. Lisboa: Palas Editores, 1980. 2 v.

Melo, Gladstone Chaves de. *Iniciação à Filologia e à Lingustica Portuguesa*. Rio de Janeiro: Livraria Acadêmica, 1971.

Reis, Otelo. *Breviário de Conjugação de Verbos*. 45ª ed. Rio de Janeiro: Francisco Alves, 1986.

Rocha Lima. *Gramática Normativa da Língua Portuguesa*. 24ª ed. Rio de Janeiro: José Olympio, 1984.

Rodrigues, Vera Cristina. *Dicionário Houaiss de Verbos da Língua Portuguesa*. Rio de Janeiro: Objetiva, 2003.

Ryan, Maria Aparecida Florence Cerquera. *Conjugação de Verbos em Português*. 7ª ed. São Paulo: Ática, 1991.

Said Ali, Manoel. *Gramática Secundária e Gramática Histórica da Língua Portuguesa*. 3ª ed. Brasília: Ed. UnB, 1964.

Santos, Daltro. *Fundamentação da Ortografia Simplificada*. 2ª ed. Rio de Janeiro: Gráfica Laemmert, 1941.

Scliar Cabral, Leonor. *Princípios do Sistema Alfabético do Português do Brasil*. São Paulo: Contexto, 2006.

Spina, Segismundo. *Dicionário Prático de Verbos Conjugados*. 3ª ed. Lisboa: Editora Fernando Pessoa, 1977.

Teyssier, Paul. *História da Língua Portuguesa*. (Trad. de Celso Cunha). Lisboa: Sá da Costa, 1982.

Vasconcelos, Carolina Michaelis de. *Lições de Filologia Portuguesa.* Lisboa: Revista de Portugal, 1956.

Vocabulário Ortográfico da Língua Portuguesa. 4ª ed. Rio de Janeiro: Academia Brasileira de Letras, 2004.

Williams, Edwin Bucher. *Do Latim ao Português.* Trad. por Antônio Houaiss. 3ª ed. Rio de Janeiro: Tempo Brasileiro, 1975.

Periódicos

O Estado de S. Paulo, São Paulo

Folha de S.Paulo, São Paulo

Jornal da Tarde, São Paulo

Jornal do Brasil, Rio de Janeiro

Este livro foi composto nas fontes Solex e Minion e impresso pela Cromosete,
em novembro de 2008, sobre papel offset 90 g/m².